La nouvelle entente Québec-Canada

Proposition du gouvernement du Québec
pour une entente d'égal à égal:
la souveraineté-association

La nouvelle entente Québec-Canada

Proposition du gouvernement du Québec
pour une entente d'égal à égal:
la souveraineté-association

Éditeur officiel
Québec

Graphisme: Guy Lalumière
Composition: Photocomposition Avant-Garde Ltée
Impression: Métropole Litho Inc.

Édition réalisée au
Service des publications officielles
par Marcel Gilbert

Dépôt légal—4e trimestre 1979
Bibliothèque nationale du Québec

ISBN 2-551-03603—8

Table des matières

L'avenir d'un peuple

Dans l'histoire des peuples comme dans la vie des individus, surviennent des moments décisifs.

Rien de plus naturel.

Vivre, en effet, c'est choisir; et il n'y a pas de progrès sans action, sans effort, sans changement. Pour progresser, il faut évoluer, en relevant avec succès les défis qu'apporte le temps.

Ces moments décisifs sont rares. Heureusement, pourrait-on dire, car ils s'accompagnent presque toujours d'une certaine angoisse. Même quand le chemin nouveau qui s'offre au carrefour est bien plus prometteur que l'ancien, d'instinct, l'on est d'ordinaire porté à en exagérer les embûches. Et, naturellement, la peur du changement fait chercher des attraits inédits au vieux sentier sans horizon.

Pour réussir, il faut surmonter la crainte.

Nous voici tous, Québécois, Québécoises, arrivés à un moment décisif, à un carrefour. Après des années de discussions, de «crises» constitutionnelles, d'enquêtes et de rapports, le temps est venu de choisir librement, démocratiquement, le chemin de notre avenir.

Un rendez-vous historique, au printemps prochain, nous en fournira, pour la première fois, l'occasion.

Quand vient le moment d'orienter et d'engager son destin collectif, un peuple doit réfléchir—mûrement.

Nous, Québécois, Québécoises, d'où venons-nous, où en sommes-nous et quelles sont nos chances de grandir et de nous épanouir? Autant de questions que doit se poser le citoyen pour éclairer son vote, auxquelles le gouvernement du Québec veut l'aider à répondre, en expliquant le plus clairement possible le choix qu'il lui propose.

Car le gouvernement du Québec a acquis la conviction que notre épanouissement, comme peuple, exige la transformation du fédéralisme actuel en une nouvelle association, au sein de laquelle le Québec, dans le cadre d'une union économique et monétaire, jouirait, tout comme le Canada, de tous les pouvoirs d'un pays souverain. Cette nouvelle entente, d'égal à égal, est la seule voie qui corresponde à notre passé, réponde aux exigences du présent et permette notre progrès futur.

Chapitre premier
«Je me souviens»

Chapitre premier
«Je me souviens»

Les peuples, comme les individus, possèdent un génie propre et évoluent dans des conditions particulières; c'est pourquoi ils ne parviennent pas tous à la maîtrise de leur destin par les mêmes voies. Mais l'histoire enseigne que, si les démarches varient, toutes sont néanmoins le résultat d'une prise de conscience collective, d'une volonté de fidélité et d'un désir d'ouverture au monde.

Or, l'examen de notre passé nous révélera,—s'il est nécessaire,—que le cheminement des Québécois, malgré tout ce qu'il a d'original, n'échappe pas aux grandes lois qui ont présidé, au cours des âges, à l'accession des peuples à la souveraineté nationale.

L'implantation

Nos ancêtres prirent racine en terre américaine au début du XVIIe siècle, au moment où les premiers colons anglais débarquaient sur la côte est des États-Unis. Tout en défrichant la vallée du Saint-Laurent, ils explorèrent en tout sens le vaste continent, de l'Atlantique aux Montagnes Rocheuses, et de la Baie d'Hudson au golfe du Mexique. Par la découverte, la prise de possession et l'occupation du sol, les Québécois se définirent progressivement comme des Nord-Américains.

En 1760, le long du Saint-Laurent, notre communauté formait déjà une société. Nord-américaine par la géographie, française par la culture, la langue et la politique, elle avait une âme, des habitudes de vie, des traditions, des institutions et des comportements qui lui étaient propres. Ses luttes, ses succès et ses épreuves lui avaient donné conscience de son destin collectif, et c'est avec quelque impatience, dès lors, qu'elle supportait le lien colonial.

Le désir de survivre

Tôt ou tard, cette société eût secoué le joug colonial et acquis son indépendance, comme ce fut le cas, en 1776, pour les États-Unis d'Amérique. Mais le sort des armes la plaça, en 1763, sous la tutelle britannique. Privés de leurs dirigeants, dont un grand nombre avait dû rentrer en France, soumis à de nouveaux maîtres parlant une autre langue, écartés des charges publiques par la Proclamation Royale de 1763, nos ancêtres, sans influence comme sans capitaux, et de surcroît régis par le droit anglais, virent toute la structure commerciale et industrielle qu'ils avaient édifiée passer graduellement aux mains des marchands anglais.

Devant cette défaite, les francophones optèrent spontanément pour la fidélité. Point question de se jeter dans le camp du vainqueur pour recueillir les avantages qui les y attendaient. On allait s'adapter à la situation nouvelle, composer avec les nouveaux maîtres, mais, surtout, préserver l'essentiel de ce qui caractérisait notre peuple: sa langue, ses coutumes, sa religion. À tout prix, on allait survivre.

La volonté de lutter

Dès 1763, désireux de s'affirmer, nos ancêtres entreprirent de résister. Le gouvernement, le fonctionnarisme, le commerce et l'industrie leur échappaient? Qu'à cela ne tienne! Ils se replièrent sur le territoire qu'on leur laissait: leurs villages, leurs terres, leurs forêts. Là au moins ils pourraient conserver leurs valeurs et renforcer le tissu de leur vie communautaire, grâce à la famille, à la paroisse, à l'école, aux organismes administratifs locaux.

Les circonstances aidant, ils remportèrent une première victoire politique. L'Acte de Québec leur donna, en 1774, la possibilité de vivre en français et d'être régis par les lois civiles françaises. Due en partie au désir des Britanniques de se faire de notre peuple un allié contre les colonies rebelles d'Amérique, cette victoire n'en était pas moins capitale, puisque, tout en rétablissant la continuité historique, elle constituait le fondement indispensable de tout progrès ultérieur.

Au cours des années, nos ancêtres jetèrent un autre fondement, non moins important, de leur avenir: ils se donnèrent le nombre qui leur manquait en 1760. De 60 000 qu'ils étaient alors, ils passèrent à 120 000 vers 1785; ils seraient 240 000 vers 1810, et 500 000 vers 1835. La population doublait tous les vingt-cinq ans.

En marge des nouvelles structures politiques, dans les campagnes, le pays réel se refaisait.

Au lendemain de la révolution américaine, les colons anglais commençaient à affluer. Ils s'installaient surtout dans l'Estrie et le long du Saint-Laurent, de l'ouest de Montréal aux Grands Lacs, où ils étaient fortement majoritaires. Ils réclamèrent bientôt des institutions politiques qui ne les assujettiraient pas à des lois d'inspiration française et dans lesquelles ils se reconnaîtraient culturellement. Cédant à leur pression, Londres décida, en 1791, de diviser la province en Haut et Bas-Canada, amputant du même coup le territoire québécois de toute la région des Grands Lacs,—la plus riche partie de l'Ontario d'aujourd'hui,—devenue le Haut-Canada. Chacune des provinces était dotée d'une assemblée législative. Pour la première fois de son histoire, notre peuple pouvait élire des députés.

Le Parlement du Bas-Canada, dont la langue d'usage était le français, proposait des lois et un budget, qu'il soumettait à l'approbation du gouverneur, lequel exerçait, au nom de Londres, le pouvoir exécutif. Or, la volonté populaire se heurtait souvent au veto du gouverneur, surtout sensible aux intérêts de la minorité anglaise du Bas-Canada et à ceux du pouvoir impérial. La tension qui en résultait tourna, vers 1830, à l'exaspération. Les députés rédigèrent une série de résolutions, dans lesquelles ils exprimèrent l'ensemble de leurs revendications: contrôle par l'Assemblée des impôts et des dépenses, et adoption de mesures économiques et sociales urgentes. Le gouverneur refusa et renvoya la Chambre. Aux élections suivantes, les patriotes, Papineau en tête, emportaient 77 sièges sur 88 et recueillaient 90% des suffrages. Aux mêmes demandes, le gouverneur répondit par une nouvelle dissolution de la Chambre.

L'impasse était totale. Si certains chefs politiques et les habitants de quelques villages ne voyaient plus d'autre solution que la résistance, les Britanniques eux-mêmes étaient exaspérés et d'aucuns souhaitaient l'affrontement armé, craignant de «tomber sous la suprématie d'une république française». La tête des chefs patriotes fut mise à prix par le gouverneur Gosford, et les troupes se mirent en campagne pour s'emparer de Papineau et de ses lieutenants. Après une victoire sans lendemain à Saint-Denis, les patriotes furent écrasés à Saint-Charles et à Saint-Eustache. La répression fut cruelle: des centaines de patriotes furent emprisonnées et douze furent pendus; un peu partout les fermes brûlèrent. Le soulèvement de 1837 et ses suites immédiates émurent profondément la population, dont ils influencèrent longtemps les attitudes et le comportement.

L'Acte d'Union de 1840

Pour sortir de l'impasse, Durham recommanda, dans son célèbre rapport, «de ne confier le gouvernement qu'à une législature décidément anglaise». L'idéal eût été de fédérer l'ensemble des colonies britanniques, mais le temps pressait: visant à l'essentiel, Londres décida de fondre en une seule les assemblées législatives du Bas et du Haut-Canada, et adopta l'Acte d'Union de 1840. Bien que la population du Bas-Canada fût supérieure à celle du Haut-Canada, les deux provinces eurent à la Chambre le même nombre de députés; de surcroît, le Bas-Canada dut assumer, à part égale, la dette du Haut-Canada, beaucoup plus élevée que la sienne.

La députation du Haut-Canada étant entièrement anglophone et celle du Bas-Canada comptant quelques députés de langue anglaise, le gouverneur Sydenham pouvait enfin s'appuyer sur une majorité anglaise. Pensant avoir réduit les francophones à l'impuissance, l'Angleterre accorda au Parlement du Canada Uni le gouvernement responsable et le contrôle des impôts et des dépenses qu'avaient en vain réclamés le Haut et surtout le Bas-Canada. Minoritaires, toutefois, les francophones seraient incapables de profiter de ces mesures.

Conformément aux dispositions de l'Acte d'Union, le français fut aboli à la Chambre. Mais les députés francophones découvrirent rapidement que les règles parlementaires britanniques leur permettaient de paralyser les débats et que le jeu des partis exigeait l'octroi de concessions réciproques: à défaut d'une véritable égalité politique, ils chercheraient à obtenir tout au moins l'égalité parlementaire. C'est ainsi qu'ils firent rétablir, en 1849, l'usage du français à la Chambre, qu'ils déjouèrent diverses tentatives d'assimilation, qu'ils purent défendre et promouvoir leurs intérêts et, surtout, gêner considérablement l'expansion territoriale et commerciale des anglophones. Bref, ils retournèrent contre leurs auteurs le régime qui visait à les assujettir,— et qu'on dut, de nouveau, songer à modifier.

Au moment où s'engagèrent, en 1864, les discussions sur le projet d'une fédération, la situation des deux peuples s'était considérablement modifiée depuis 1763. Grâce à une politique soutenue d'immigration, les anglophones avaient ajouté la suprématie du nombre à celle dont ils jouissaient déjà dans les domaines politique, économique et militaire. Aussi,—et pour mieux se protéger contre les États-Unis,—rêvaient-ils de s'étendre d'un océan à l'autre et de relier par chemin de fer les communautés, actuelles et futures, qui jalonneraient le pays d'Est en Ouest; ils rêvaient d'un pays qui, le plus possible, tirerait avantage de la révolution industrielle; et ce pays, ils voulaient qu'il fût leur.

Les francophones se trouvaient, eux aussi, en bien meilleure posture que jadis. Grâce à la «revanche des berceaux», ils avaient considérablement accru leur population; ils avaient pris fermement en main la mise en valeur de leur territoire et s'étaient doté d'institutions,— sociales, scolaires et culturelles,—de qualité; ils s'étaient donné, depuis le soulèvement de 1837, une nouvelle élite, mais aussi un mode de vie original et une culture propre dont témoignaient leurs artisans, leurs artistes et leurs penseurs. Si, dans le domaine politique, leur détermination et leur habileté leur avaient valu des gains essentiels, bien que limités et précaires, dans le domaine économique, cependant, où le grand commerce et l'industrie leur échappaient plus que jamais, ils n'avaient la maîtrise que de leur agriculture.

La fédération de 1867

Aux conférences constitutionnelles de 1864 et de 1866, les délégués du Québec et ceux des autres provinces poursuivirent des objectifs bien différents. Le Haut-Canada, en particulier, voulait un parlement supraprovincial, doté de pouvoirs aussi nombreux et importants que possible, qui présidât aux destinées du nouveau pays; le Québec, pour sa part, voulait se donner un gouvernement responsable, jouissant d'une large autonomie, qui garantît une fois pour toutes l'existence et le progrès du peuple québécois,—et qui fût son vrai gouvernement. C'est l'opposition entre un fédéralisme centralisé et une confédération décentralisée qui, déjà, se faisait sentir.

La première conception finit par l'emporter. Certes, les Québécois obtiennent un gouvernement responsable et autonome, mais d'une autonomie limitée à des juridictions alors perçues comme étant d'un intérêt plutôt local. L'agriculture et l'immigration sont des juridictions partagées. Du Parlement fédéral relèvent exclusivement toutes les autres juridictions jugées essentielles au développement d'un État: transport, droit criminel, monnaie, banques, pêcheries, droits d'accise, tarifs douaniers, commerce interprovincial et international; le gouvernement fédéral peut taxer et dépenser à son gré, légiférer sur toute question qu'il déclare d'intérêt national, désavouer toute loi provinciale

Les Pères de la Confédération

qui paraît porter atteinte à sa compétence, et exercer toute juridiction non prévue dans la constitution. En cas de désaccord ou de contestation, le Conseil Privé de Londres joue le rôle d'arbitre suprême entre le fédéral et les provinces.

Une fausse confédération

Il est bien évident que ce nouveau régime n'a, de la confédération, que le nom: les provinces, en effet, ne délèguent pas à un parlement émané d'elles une partie de leurs pouvoirs; elles se voient, au contraire, placées sous un gouvernement supérieur qui exerce en son propre nom les pouvoirs essentiels d'un État. Architecte de cette nouvelle constitution, John A. Macdonald n'en faisait point mystère: «Nous avons concentré la force dans le gouvernement général. Nous avons déféré à la législature générale toutes les grandes questions de législation. Nous lui avons conféré, non seulement en les spécifiant et détaillant, tous les pouvoirs inhérents à la souveraineté et à la nationalité, mais nous avons expressément déclaré que tous les sujets d'un intérêt général, non délégués aux législatures locales, seraient du ressort du gouvernement fédéral...» [1] Au vrai, le nouveau régime est à ce point centralisé que, dès 1868, une vieille législature comme celle de la Nouvelle-Écosse songe sérieusement à s'en retirer et reste longtemps convaincue d'avoir perdu des pouvoirs qu'elle avait l'habitude d'exercer.

Pour les Québécois, ce régime fédéral était-il préférable à celui qu'ils avaient connu sous l'Union? Les hommes politiques étaient très divisés sur cette question: le parti libéral d'Antoine-Aimé Dorion dénonça la Confédération,—un marché de dupes, disait-on,—et s'y opposa violemment; plusieurs députés conservateurs étaient indécis. Quand le projet fut soumis au vote de l'Assemblée, 27 députés francophones du Québec l'approuvèrent (dont 2 représentaient des comtés majoritairement anglophones), et 22 le rejetèrent. Quant à la population elle-même, on ne saura jamais ce qu'elle en pensait, le gouvernement ayant refusé de la consulter

---

(1) **Débats parlementaires sur la question de la Confédération des provinces de l'Amérique Britannique du Nord, Québec,** 1865, p. 34.

par référendum, comme l'avait demandé Antoine-Aimé Dorion.

Une province comme les autres

Aux termes du British North America Act, le Québec n'est point la patrie d'une nation, mais une simple province, parmi quatre, puis cinq, puis dix; une province comme les autres, sans autres droits ni pouvoirs que la plus petite d'entre elles. Nulle part, dans le B.N.A. Act, il n'est question d'une alliance entre deux peuples fondateurs ou d'un pacte entre deux nations; il y est question, au contraire, d'une unité territoriale et politique, et d'un gouvernement national qui, sur l'essentiel, impose leur orientation aux gouvernements régionaux. Les provinces anglaises ne s'y trompent pas, qui, en dépit des particularismes locaux, ont toujours considéré le gouvernement central comme le "senior government", celui qui prime, pour le coeur comme pour la raison, et auquel on doit d'abord une entière allégeance. Il semble assuré que les anglophones du Canada ont, en 1867, conçu le B.N.A. Act comme une simple loi britannique, et non point comme un pacte entre deux nations.

Subordonné politiquement à l'intérieur même de ses frontières, le Québec l'est également au sein du gouvernement central. Ne représentant plus que le tiers de la population canadienne, il ne peut élire, en 1867, que 65 députés sur 181, ce qui est insuffisant pour empêcher, comme il l'a fait sous l'Union, l'adoption de lois et de mesures contraires à ses intérêts. Le Canada anglais peut donner libre cours à ses tendances expansionnistes, d'autant que Londres a garanti, en adoptant le B.N.A. Act, un prêt pour la construction du premier chemin de fer intercolonial; et, en dix ans, le nouveau régime créera trois nouvelles provinces.

Le jeu des partis, qui les avait favorisés sous l'Union, se retourne maintenant contre les Québécois: en divisant leur députation, il diminue en pratique son importance numérique et réduit son efficacité. Il est vrai que le Québec conserve assez d'influence pour que, en période électorale, on lui fasse des promesses et des concessions, mais sa faiblesse en Chambre annule en grande partie ces avantages.

Les francophones minoritaires

L'avènement du régime fédéral canadien consacre donc, en même temps qu'il la favorise, l'hégémonie d'un Canada devenu anglais. Il est assez normal que, dans un tel régime, les intérêts et les aspirations des Québécois et des francophones des autres provinces soient relégués au second plan.

En 1885, par exemple, le Québec tout entier prend fait et cause pour Louis Riel, qui lutte pour la survie des communautés francophones de l'Ouest; le gouvernement fédéral le combat, au contraire, et Louis Riel meurt sur l'échafaud.

Au moment de sa fondation, la province du Manitoba est, par une faible majorité, francophone, et la constitution de 1870 y garantit les droits du français. Or, dans les années 1890, le gouvernement manitobain abolit les écoles françaises et bannit l'usage du français tant à la Chambre que dans les documents de la législature.

Au tournant du siècle, le gouvernement fédéral ne fait rien pour améliorer la situation économique lamentable de centaines de milliers de Québécois, à l'étroit sur leurs terres ou incapables de trouver du travail dans les villes, non plus que pour arrêter leur migration définitive vers les États de la Nouvelle-Angleterre, où ils sont destinés à l'assimilation. Il se consacre plutôt à la mise en oeuvre de sa "national policy",[1] qui dote l'Ontario d'une solide infrastructure industrielle dont elle profitera beaucoup par la suite.

Pendant les années 1900 à 1920, toutes les minorités francophones hors-Québec doivent lutter contre leurs gouvernements provinciaux, qui restreignent—l'Ontario allant jusqu'à l'abolir—l'usage du français à l'école et rendent très difficile, sinon impossible, l'établissement d'écoles françaises.

---

(1) "National policy": célèbre politique économique, mise en oeuvre en 1879 par le gouvernement fédéral, comportant essentiellement une politique douanière protectionniste et créant un réseau de transport Est-Ouest. Cette politique eut pour effet de déplacer progressivement l'industrie vers le centre du Canada et de favoriser l'Ontario.

En 1914, malgré l'opposition ferme et quasi unanime du Québec, le Canada entre en guerre. Quand, de surcroît, Ottawa décrète la conscription, il provoque une levée de boucliers au Québec: la foule descend dans la rue et les conscrits se cachent; les manifestations sont durement réprimées, et les conscrits pourchassés.

Par le statut de Westminster, adopté en 1931, le Canada achève de s'affranchir de la tutelle britannique; mais le Québec reste dans le même état de subordination par rapport à Ottawa, et le Conseil privé de Londres est remplacé, comme arbitre de la fédération, par la Cour suprême, dont les membres sont tous nommés par le gouvernement fédéral.

Lors de la Deuxième Guerre mondiale, de nouveau le Québec s'oppose à la conscription; Ottawa soumet la question à un référendum général: les anglophones donnent un oui massif, les francophones un non catégorique; la conscription est décrétée.

Bien que, par certaines lois fédérales, on ait tenté sur le tard de susciter le bilinguisme dans les institutions centrales, ces exemples montrent que les francophones ne furent jamais considérés, au Canada, comme formant une société, avec une histoire, une culture, et des aspirations propres. Ils constituaient tout au plus une importante minorité linguistique, sans droits collectifs ni pouvoirs particuliers, et nécessairement appelée, comme on l'a cru longtemps au Canada anglais, à se fondre dans l'ensemble canadien.

Pourtant, à l'occasion de la Seconde Guerre mondiale,— et à cause d'elle,—le Québec est entré de plain-pied dans l'ère industrielle, laquelle provoqua, au sein de la population en général, un brassage idéologique sans précédent: les vieilles conceptions, sociologiques, in-tellectuelles, morales, politiques, furent remises en question; découvrant peu à peu ses besoins et ses ressources, et aspirant à se moderniser, le Québec prit un nouvel élan,—que le régime fédéral centralisateur de 1867 cherche systématiquement à contenir.

Chapitre deux
L'expérience du fédéralisme

Chapitre deux
L'expérience du fédéralisme

Aucun régime politique n'a une valeur absolue, et le fédéralisme, par exemple, n'est en soi ni bon, ni mauvais. Aussi n'est-ce point par des arguments théoriques qu'on peut justifier ou condamner un régime politique, mais bien en examinant la façon dont il est appliqué et ses effets à long terme, au regard d'une population donnée.

Par rapport aux anglophones, le fédéralisme canadien peut être jugé favorablement, et à bon droit, s'il répond aux aspirations et sert les intérêts de ce groupe; mais un autre groupe,—les francophones, en l'occurrence,—peut avec non moins de raison juger défavorablement ce même régime politique, s'il ne correspond pas à ses aspirations et ne sert pas ses intérêts.

Car le fédéralisme n'engendre pas nécessairement la pauvreté et la domination politique; il ne garantit pas forcément, non plus, les libertés individuelles et des niveaux de vie élevés. En ce sens, il ne serait pas moins abusif d'y voir la formule idéale de l'avenir que de voir dans l'État unitaire une formule désuète. Le fédéralisme, en effet, se retrouve aussi bien dans des pays riches que dans des pays pauvres, dans des régimes démocratiques que dans des régimes dictatoriaux.

En un domaine où tout est relatif, la prudence et le discernement s'imposent donc.

Au Canada, en ces dernières années, le fédéralisme a été, en maints milieux, l'objet de vives critiques. L'on ne saurait, ici, reprendre ces critiques une à une, analyser à travers elles la perception qu'ont les citoyens de la réalité canadienne, ni évaluer les critères sur lesquels ils fondent leur jugement. Il importe, plutôt, pour faciliter la réflexion en profondeur à laquelle la population est conviée d'ici le référendum, de faire le partage entre l'essentiel et l'accessoire, et, pour cela, d'étudier l'expérience du fédéralisme telle que l'a vécue le Québec, et du point de vue des Québécois.

L'autonomie provinciale et le fédéralisme
Pour dégager l'essentiel, il faut revenir au point de départ

de la Confédération, dans les années 1860, et aux motifs pour lesquels on a finalement opté, au Canada, pour un régime fédéral plutôt que pour le régime unitaire que d'aucuns proposaient. Car, si des causes à la fois économiques, financières et militaires expliquent le regroupement des colonies britanniques en 1867, elles n'expliquent pas le caractère fédéral de ce regroupement.

C'est la volonté bien arrêtée des Québécois de ne pas revivre un nouveau régime d'Union et d'obtenir la maîtrise de leurs propres institutions, par le moyen d'un gouvernement bien à eux, qui explique surtout le caractère fédéral de la constitution de 1867. John A. Macdonald, qui avait bien perçu ce désir d'autonomie des Québécois, a plusieurs fois déclaré que jamais ces derniers n'auraient accepté un régime unitaire.

Si les aspirations autonomistes du Québec furent l'une des causes déterminantes de l'instauration du régime fédéral canadien, le rêve unitaire des Canadiens anglais leur fit, cependant, interpréter le fédéralisme canadien dans un sens tout différent de celui des Québécois,— d'où de nombreux malentendus.

La poussée centralisatrice

Le Québec avait acquis, en 1867, une certaine autonomie politique, dans la mesure où le gouvernement central respecterait scrupuleusement les juridictions réservées aux provinces. Or, dès les premières années du régime, Ottawa s'immisça dans des domaines que les provinces, et le Québec en particulier, considéraient être de leur compétence. Cette tendance centralisatrice, plus marquée à certains moments qu'à d'autres, mais toujours présente, s'amplifia beaucoup après la guerre de 1939-1945, et surtout au cours des dernières années.

Il est remarquable, par ailleurs, qu'Ottawa cherche moins à confirmer ou à accroître son autorité sur des juridictions vastes et coûteuses qu'à s'emparer des leviers politiques grâce auxquels un gouvernement moderne peut contribuer à façonner la société de demain. À cet égard, l'action du fédéral est plus redoutable au Québec qu'à toute autre province, puisqu'elle aggrave la situation minoritaire des Québécois et qu'elle les rend de plus en plus dépendants du gouvernement à l'empire duquel, justement, ils voulaient échapper. Tous les chefs politiques du Québec, sans distinction de partis,— MM. Duplessis, Sauvé, Lesage, Johnson, Bertrand et Bourassa,—ont lutté pour que les Québécois fussent de plus en plus maîtres chez eux; aucun, pourtant, n'a réussi à arrêter le mouvement centralisateur, même si, à certains moments, on a pu le ralentir.

À quoi cela tient-il?

Les causes de la centralisation

De l'avis du gouvernement du Québec, il y a, à ce mouvement centralisateur, quatre grandes causes.

D'abord, l'accroissement des pouvoirs et de l'influence du gouvernement central répond aux aspirations de la communauté canadienne-anglaise, qui voit tout naturellement, dans ce gouvernement «national», l'instrument principal de son progrès comme société. Au Canada, la centralisation jouit, parmi la majorité, d'un préjugé favorable, que les Québécois sont loin de partager.

Maurice Duplessis

Paul Sauvé

Jean Lesage

Daniel Johnson

Jean-Jacques Bertrand

Robert Bourassa

En deuxième lieu, le gouvernement central a su profiter de diverses situations de crise pour envahir des champs de compétence dévolus aux provinces: dépression économique des années 30, guerre de 1939-1945, nécessités sociales de l'après-guerre, chômage, inflation, énergie, tout fut prétexte à des interventions fédérales multipliées, avec l'assentiment de la majorité canadienne. Celle-ci jugeait indispensable qu'Ottawa, mettant de côté la répartition des juridictions fixée par la constitution, opposât, à la gravité des problèmes, des solutions «nationales». Nécessité fait loi, dit-on; et le Québec subissait, bien malgré lui, la loi de la majorité.

En troisième lieu, le texte même du British North America Act a facilité l'expansion du gouvernement central, en lui conférant tous les pouvoirs non explicitement attribués aux provinces. Ottawa eut beau jeu, à cet égard, tant sont nombreux les secteurs nouveaux, qu'ignore la constitution de 1867, et qu'il a fait siens: de la sécurité du revenu à la recherche, en passant par les affaires urbaines, la radio-télévision, les loisirs, les sports, la consommation, l'environnement, et quoi encore! Le B.N.A. Act a réservé l'avenir au gouvernement central: la chose paraît normale à la majorité canadienne; pas à nous.

Enfin, le gouvernement central a pu augmenter ses pouvoirs grâce à des ressources fiscales et financières supérieures à celles des provinces: la constitution l'autorise, en effet, à lever des impôts et taxes de toute nature, alors qu'elle limite les provinces à ce qu'il est convenu d'appeler l'impôt direct.

L'interventionnisme d'Ottawa

C'est à l'occasion de la Deuxième Guerre mondiale qu'Ottawa réussit à s'assurer le gros de ses recettes fiscales, en empruntant aux provinces, pour la durée du conflit et en échange de subventions, leurs impôts—qu'il refusa ensuite de rendre, malgré sa promesse formelle. Après d'énormes tensions et des disputes fédérales-provinciales continuelles, certains de ces impôts furent rapatriés par les provinces, en bonne partie grâce au premier ministre Duplessis, qui, en instituant un impôt provincial sur le revenu, en 1954, avait forcé Ottawa à réagir. De sa propre initiative, le Québec réoccupait un champ fiscal qu'il n'avait consenti à évacuer que temporairement, pendant la guerre, et que le gouvernement central avait conservé.

Même si les dépenses administratives des provinces et les programmes dont elles ont la responsabilité ont considérablement augmenté depuis la fin de la Deuxième Guerre mondiale, il reste que, vu le caractère **conditionnel** des subventions fédérales qui leur sont versées pour ces programmes, la liberté de mouvement des provinces ne s'en est pas trouvée accrue pour autant, au point qu'en maints domaines celles-ci doivent se contenter de gérer des programmes conçus et orientés par le gouvernement fédéral. On a, de la sorte, réduit la liberté d'action des provinces et sapé leurs initiatives, tout en leur imposant un ordre de priorité qui n'est pas le leur,—si bien que l'accroissement du pouvoir de décision des provinces ne correspond pas à l'augmentation de leurs budgets. Formant une société distincte, le Québec est d'autant plus sensible à cette situation que son gouvernement doit sans cesse adapter son action à des programmes pan-canadiens et à des critères qui ne sont point faits pour répondre aux besoins particuliers de sa population.

L'invasion de la politique sociale

Ottawa refusa de rendre aux provinces les impôts qu'il leur avait empruntés, parce qu'il estimait avoir besoin de toutes ces ressources fiscales pour régler les problèmes de l'après-guerre, mais aussi pour instaurer toute une série de programmes sociaux, placés sous sa responsabilité et obéissant à des normes fédérales: allocations familiales, pensions de vieillesse, assurance-chômage et, plus tard, assurance-hospitalisation, assurance-maladie, etc. Si, depuis 1963 et 1964, les Québécois et les Québécoises possèdent leur propre Régime de rentes et leur Caisse de dépôt,—et cela malgré la volonté fédérale d'établir un régime de pensions unique pour tout le Canada,—c'est à la seule ténacité de leur gouvernement qu'ils le doivent.

Payant des taxes et des impôts à Ottawa pour assumer leur part des programmes fédéraux, les Québécois ont encore à supporter le coût des mesures sociales dont ils ont dû se doter. Le Québec, qui est une des rares provinces à s'être donné un régime complémentaire d'allocations familiales, vient d'instituer un régime supplémentaire de revenu garanti. Au reste, le gouvernement du Québec, et quel que soit le parti au pouvoir, a toujours soutenu qu'un régime intégré de sécurité sociale entièrement administré par le Québec,—s'il rapatriait les ressources fiscales voulues,—serait plus logique, moins coûteux, mieux adapté, et partant plus avantageux pour les Québécois que ne l'est le système actuel.

L'invasion des relations de travail

Plus récemment, en instituant son contrôle des prix et des salaires, malgré l'opposition du Québec et avec l'autorisation de la Cour suprême, le gouvernement fédéral,—invoquant le problème de l'inflation,—s'est ingéré directement dans les négociations collectives et la fixation des prix, deux domaines que jusqu'alors l'on avait cru réservés aux provinces. On connaît les difficultés particulières que ces nouveaux empiétements fédéraux ont créés au Québec, notamment en envenimant le climat social.

Mais les empiétements du pouvoir central ne se limitent pas au secteur social.

L'invasion des affaires municipales

Les municipalités, qui pourtant relèvent exclusivement des gouvernements provinciaux, se voient offrir des subventions fédérales directes, ce qui a pour effet d'engendrer de la confusion et de compliquer la mise en oeuvre d'une politique provinciale relative aux affaires municipales, que ce soit dans les domaines de l'habitation, du transport en commun, de l'environnement ou des loisirs.

Le groupe de travail sur l'urbanisation que présidait M. Claude Castonguay a jugé très sévèrement, dans son rapport, cette invasion du gouvernement central:

«Même si chaque intervention fédérale prise isolément peut, selon une certaine dynamique ou une certaine optique, paraître fondée et valable, il n'en demeure pas

moins que l'ensemble de ces interventions, qui ont pour effet de rendre le gouvernement fédéral omniprésent dans les affaires urbaines et locales québécoises, ne peut qu'être très lourd de conséquences.(...)

(...)Le gouvernement fédéral incite les administrations locales à prendre ses décisions dans un sens donné en utilisant la carotte des subventions et des prêts à taux privilégié.

Placé à un niveau supérieur, il peut se permettre d'ignorer le principe de la responsabilité fiscale au niveau local et multiplier ses largesses. En agissant de la sorte, il fait écho aux demandes des groupes bien organisés qui désirent des services subventionnés et qui ont l'illusion qu'ils ne seront pas appelés à défrayer la note. Une telle dynamique ne peut qu'entraîner le gouvernement du Québec à devenir lui-même l'un des quémandeurs auprès du gouvernement fédéral.» [1]

Cette situation ne se retrouve point dans le seul domaine des affaires municipales, loin de là!

Les richesses naturelles

Profitant de la crise de l'énergie, le gouvernement central s'immisça dans la gestion des richesses naturelles, propriété exclusive des provinces: par le biais de son pouvoir sur le commerce interprovincial et international, il «nationalisa» la mise en marché du gaz et du pétrole. Nouvelle intrusion extrêmement dangereuse pour le Québec, qui regorge de richesses naturelles—la plupart renouvelables, donc inépuisables,—et qui pourrait perdre la maîtrise du plus important de ses instruments de développement! La menace est d'autant plus grande que, dans ce dossier, le gouvernement fédéral peut compter sur l'appui de l'Ontario, beaucoup moins bien pourvue, à cet égard, que d'autres provinces.

La stratégie fédérale relative à l'uranium donne tout autant à réfléchir. Peu après la dernière guerre, en invoquant sa juridiction dans le secteur de la défense nationale, Ottawa s'appropriait la gestion de l'énergie atomique, tout en laissant aux provinces celle de l'in-

---

(1) **L'urbanisation au Québec.** Rapport du groupe de travail sur l'urbanisation, février 1976, p. 337.

dustrie minière. La politique fédérale ayant évolué et l'uranium canadien ne devant plus servir à des fins militaires, la justification ne tenait plus: depuis 1977, Ottawa prétend s'attribuer entièrement, cette fois au nom de l'intérêt national, la gestion de l'uranium, et cela malgré le désaccord unanime des provinces, qui craignent de voir l'administration du secteur minier soumise à une double juridiction.—Les prétextes passent, mais la volonté centralisatrice fédérale demeure.

Les autres secteurs

On peut encore mentionner, pour mémoire, la remise en cause de l'entente sur les pêches maritimes, les efforts pour obtenir la maîtrise des valeurs mobilières et de l'assurance, l'utilisation du droit criminel pour régir les courses, loteries et jeux de hasard, du pouvoir déclaratoire pour régir, au Québec, le téléphone, le commerce des céréales et les meuneries.

Mais il y a plus grave...

L'invasion de la culture

La culture est liée de si près à la langue, à l'identité et à l'âme d'un peuple que, à l'intérieur du territoire québécois, le domaine culturel relève tout naturellement du Québec. Mais l'avènement de la radiophonie allait montrer que le pouvoir central ne l'entendait pas ainsi. À la suite d'une interprétation judiciaire, la radiophonie et, plus tard, la télévision sont déclarées de la compétence exclusive du fédéral. Ottawa réclame et obtient également juridiction exclusive sur la câblo-distribution, en attendant la télévision à péage et la télé-informatique. Tout au plus le gouvernement central consent-il à négocier avec les provinces des accommodements administratifs et à émettre des permis de télévision éducative. Ottawa maîtrise ainsi un instrument puissant; le Québec, quant à lui, doit subir une programmation dont la portée culturelle est considérable et, pour lui, essentielle,—sur laquelle il n'a rien à dire!

Depuis qu'Ottawa a perçu la nécessité de créer et d'affirmer une identité canadienne distincte de l'identité américaine, tous les secteurs culturels font l'objet de l'attention du gouvernement fédéral. Il intervient massivement dans toutes les provinces comme dans tous les secteurs: arts, lettres, parcs, théâtre, patrimoine, musées, livre, cinéma, loisirs, sport amateur, enseignement postsecondaire, formation professionnelle. Disposant, à des fins culturelles, de sommes toujours plus considérables, il dépense au Québec beaucoup plus que le gouvernement du Québec. Il procède sans consultation, arbitrairement, selon ses propres normes, et refusant toute coordination. Il serait pourtant bien plus logique et plus efficace que le Québec mît lui-même en oeuvre une politique culturelle maintenant définie, et dont il a la responsabilité au premier chef.

Un dilemme

Si, en 1867, les Québécois et les Québécoises tenaient à garder au Québec la maîtrise de toutes leurs institutions sociales et culturelles, de même que les ressources fiscales et financières nécessaires à la croissance de ces institutions, et s'ils ont cru que le fédéralisme leur permettrait d'atteindre cet objectif, force nous est de constater, cent douze ans plus tard, que l'évolution politique du régime fédéral a plutôt conduit au transfert vers Ottawa de responsabilités majeures qui, vu leur nature et leur portée sociale et culturelle, devraient plutôt relever du Québec. C'est donc l'autonomie du Québec qui est mise en cause dans cette évolution, puisque le gouvernement central est désormais en mesure de jouer un rôle qui, normalement, devrait revenir au gouvernement du Québec, le seul qui appartienne vraiment à la nation québécoise.

En fait, le gouvernement du Québec s'est toujours trouvé dans un dilemme: ou bien il se soumet à l'évolution centralisatrice inéluctable qui caractérise le régime fédéral canadien, ou bien il maintient à tout prix l'exercice de ses attributions constitutionnelles, en dépit des intrusions fédérales.

Jusqu'à maintenant, jamais un gouvernement du Québec, quel que fût le parti au pouvoir, n'a voulu accepter le premier terme de ce dilemme et la perte éventuelle de son autonomie politique. À des degrés divers, tous les gouvernements du Québec ont accepté le second terme du dilemme, en résistant aux intrusions fédérales et en luttant pour leur autonomie.

Le choix de la résistance, plutôt que de la soumission, ne fut pas sans répercussions sur le fonctionnement du régime, et ces répercussions elles-mêmes sont à inscrire au bilan du fédéralisme canadien.

Les chevauchements fédéraux-provinciaux

Outre les conflits permanents entre le pouvoir central et le gouvernement québécois, la détermination du Québec de résister à la centralisation et de sauvegarder le plus possible son autonomie a pour résultat des chevauchements de plus en plus considérables dans l'activité des deux gouvernements. Ces chevauchements, fort coûteux, il va sans dire, sont la conséquence inévitable d'une situation constitutionnelle qu'on n'a jamais voulu ou pu clarifier. Pour satisfaire la population, les gouvernements, tant fédéral que provinciaux, doivent s'ingénier à contourner sans cesse un problème constitutionnel insoluble; et, faute de toute répartition précise des compétences et des ressources, ils ne peuvent le faire que dans un climat de concurrence.

Selon une étude de l'École nationale d'administration publique, en 1937 déjà, les chevauchements de programmes touchaient 15 secteurs de l'activité gouvernementale sur 36; aujourd'hui, ils en touchent 34 sur 36. À titre d'exemple, les petites et moyennes entreprises du Québec sont enchevêtrées dans 162 programmes ou formes d'aide, donnant lieu à 317 sortes d'interventions, de la part de 79 bureaux ou organismes fédéraux ou provinciaux. Un record mondial, sans doute, compte tenu de la taille de notre économie!

Aujourd'hui, on peut affirmer que les chevauchements constituent la règle du fédéralisme canadien, et qu'ils découlent du régime lui-même. La conjonction de forces politiques et économiques a abouti au déploiement de deux appareils gouvernementaux à vocation quasi identique, et par conséquent à un désordre administratif généralisé, et surtout à un gaspillage d'argent et d'énergie qu'il est difficile de mesurer exactement.

En 1940, la commission Rowell-Sirois avait bien compris la nature du problème—et le coût pour les contribuables—des actions souvent contradictoires des deux ordres de gouvernement:

«*Les faits démontrent que, dans une fédération telle que le Dominion du Canada, le gaspillage et les ajustements défectueux sont inévitables jusqu'à un certain point, même si la coopération et l'unité peuvent être maintenues à un très haut degré entre les divers gouvernements. Les administrations doivent donc s'efforcer de confiner le gaspillage à l'inévitable.(...)*

Mais les gaspillages sont d'une nature telle que l'étude des services administratifs ne peut les révéler, car ces gaspillages sont le résultat de procédés peu convenables, arriérés et désuets qui ne suivent pas l'évolution des besoins d'un régime économique dynamique.»[1]

On imagine les conséquences de ces chevauchements: les incohérences et les contradictions, qui sèment la

(1) **Rapport de la Commission royale des relations** entre le Dominion et les provinces, vol. 2, ottawa, 1940, pp. 180 et suivantes.

Newton W. Rowell   *Joseph Sirois*

confusion parmi la population; la complexité accrue des transactions du citoyen avec les institutions gouvernementales; la nécessité, souvent, de doubler les démarches,—comme de préparer deux rapports d'impôt; une inefficacité administrative et politique accrue, également, des ministères et organismes gouvernementaux; et, enfin, un prix à payer bien supérieur à ce qu'il en coûterait si un seul gouvernement assurait tous les services.

Réunions, comités, rencontres, conférences...

Pour essayer de sortir de cet imbroglio administratif, on a eu recours à une invention canadienne par excellence, les comités, chargés de faire fonctionner un fédéralisme qui, de toute évidence, ne correspond plus aux besoins des citoyens. En 1957, il y avait 64 organismes fédéraux-provinciaux; en 1967, on en comptait 119; en 1977, passés à 158, ils se réunirent, au cours de cette seule année, 335 fois.

Au Canada, on se réunit de plus en plus souvent et de plus en plus nombreux, avec de moins en moins de résultats. Voici, par exemple, la participation québécoise à tous ces organismes fédéraux-provinciaux, d'avril 1978 à mars 1979: 70 rencontres groupèrent 246 fonctionnaires, et 46 rencontres au niveau ministériel requièrent la présence de 334 délégués québécois.

Une politique économique mal adaptée

Pendant qu'on court ainsi, de comités en rencontres, de rencontres en conférences, le gouvernement fédéral poursuit, en toute liberté, la mise en oeuvre de ses propres politiques. En particulier, la maîtrise des principaux leviers économiques lui permet depuis longtemps d'orienter à sa guise la croissance économique sur tout le territoire canadien.

Les transports

Dès ses débuts, le chemin de fer fut un des grands outils qui contribuèrent à l'expansion de l'Ontario et de l'Ouest canadien; il continue, de nos jours, à servir les intérêts de ces régions. Seulement 12% du réseau ferroviaire canadien est en territoire québécois; d'autre part, le Québec n'a que 0,9 mille de voies ferrées par habitant, alors que la moyenne canadienne est de 2,1 milles; et les produits entrant au Québec ou en sortant sont assujettis à des tarifs supérieurs d'environ 40% à la moyenne canadienne.

L'implantation industrielle

La sidérurgie canadienne s'installe en bonne partie au sud de l'Ontario et profite de tarifs ferroviaires privilégiés; il en va de même pour les industries lourdes et de biens durables, à haute technologie et aux emplois bien rémunérés. Au Québec s'installent, en grand nombre, les industries de biens non durables, à basse technologie, exigeant une main-d'oeuvre abondante et peu rémunérée.

Le pacte de l'automobile, entre le Canada et les États-Unis, a permis de concentrer en Ontario près de 90% de la production des automobiles, avec tous les avantages de la sous-traitance. Ce pacte a créé en Ontario plus de 210 000 emplois, directs et indirects, au cours des six premières années qui suivirent sa signature, en 1965; il n'a à peu près rien apporté au Québec. Tout cela n'a pas empêché Ottawa d'accorder, récemment, une subvention de quarante millions de dollars à la compagnie Ford, pour qu'elle installe en Ontario une autre très grosse usine.

Depuis les années 1960, Ottawa, comme gouvernement participant aux accords commerciaux du GATT, a maintenu une politique systématique d'abaissement de la protection accordée aux secteurs traditionnels, majoritairement concentrés au Québec, et provoqué la perte de dizaine de milliers d'emplois. La situation devint si grave que, cédant à la pression du gouvernement québécois, appuyé par tous les agents économiques du Québec, Ottawa a dû, temporairement, faire marche arrière et imposer des quotas à l'entrée des produits de la chaussure et du vêtement.

Par ailleurs, et malgré des avantages évidents pour ces secteurs traditionnels de l'économie du Québec, Ottawa s'est opposé farouchement à la formule québécoise d'abolition de la taxe de vente.

En outre, les quelque 400 organismes et sociétés du gouvernement fédéral se retrouvent presque tous en Ontario. Il n'est pas étonnant qu'en moyenne, de 1961 à

1977, la part des dépenses du gouvernement fédéral directement créatrices d'emplois (salaires, biens et services, subventions et investissements) faites au Québec n'ait été que de 20,6% —contre 40% en Ontario.

Dépenses fédérales créatrices d'emplois

Québec	Ontario
20,6%	40%

Dans un autre secteur, qui n'est pas sans rapport avec ce qui nous occupe ici, le gouvernement fédéral a créé plusieurs organismes de recherche, et notamment l'important Conseil de la recherche scientifique, dont la grande majorité se retrouvent à Ottawa. C'est dans cette ville, du reste, que furent construits presque tous les laboratoires fédéraux, qui emploient actuellement plus de 2 000 savants.

L'agriculture
Dans le domaine agricole, le gouvernement fédéral a toujours eu une tendance marquée à décider quelles productions convenaient à telle ou telle région, et à les encourager exclusivement dans les régions choisies. Qu'on songe, par exemple, à la politique d'aide aux producteurs céréaliers de l'Ouest, qui n'a jamais eu d'équivalent au Québec, autrefois exportateur net de céréales, et dont les possibilités, dans ce secteur, restent excellentes. Qu'on songe encore à la politique qui a obligé les agriculteurs du Québec à se cantonner dans des productions pour lesquelles les possibilités d'expansion du marché sont faibles, à telle enseigne que nos agriculteurs doivent se lancer dans d'autres productions, souvent sans aucune aide d'Ottawa, et parfois même en dépit d'obstacles fédéraux quasi insurmontables.

Il est évident que la politique agricole du gouvernement fédéral, en aidant les uns et en négligeant les autres, a déséquilibré l'économie agricole de régions entières.

Une autre politique fédérale, celle de l'aide au transport des produits agricoles, nuit à la diversification de l'agriculture québécoise. Elle a souvent pour effet d'annihiler un de nos principaux avantages comparatifs en matière agricole, à savoir la proximité des marchés: ainsi, il n'en coûte pas plus cher pour livrer les pommes de terre du Nouveau-Brunswick à Québec que pour y livrer celles du comté de Portneuf; le marché du Québec,—et plus particulièrement celui de Montréal,—est mis à la portée des agriculteurs des autres provinces, sans que les mêmes avantages soient offerts aux agriculteurs du Québec, vis-à-vis, par exemple, le marché de Toronto.

L'urgence d'agir

Et pendant que le gouvernement central continue ainsi d'envahir nos champs de compétence et de nous imposer une politique contraire à nos intérêts, l'importance démographique des Québécois et des francophones hors-Québec ne cesse de diminuer. Le démographe Robert Maheu prévoit que, en 1991, 73% des personnes d'origine ethnique française vivant à l'extérieur du Québec auront perdu l'usage de leur langue d'origine. Un autre démographe, Jacques Henripin, prévoit que, vers

La population canadienne

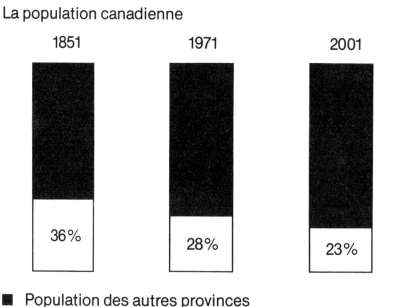

	1851	1971	2001
	36%	28%	23%

■ Population des autres provinces
☐ Population du Québec

l'an 2000, de 92 à 95% des francophones du Canada vivront au Québec. Quant aux Québécois, qui formaient, en 1851, environ 36% de la population canadienne, ils n'en formaient plus que 28% en 1971, et cette proportion tombera à 23% en 2001, si la tendance actuelle se maintient—ce qui est probable, étant donné le faible taux québécois de natalité et d'immigration.

Cette baisse démographique entraîne nécessairement une diminution toujours plus marquée du rôle que jouent les Québécois sur la scène politique canadienne. De 1867 à 1979, le nombre de députés québécois à Ottawa augmentait de 10, passant de 65 à 75; celui des députés des autres provinces, de 91, passant de 116 à 207. Cette tendance s'accentue, d'ailleurs: lors des dernières élections, on accorda un siège supplémentaire au Québec, et 17 au reste du Canada. L'on prévoit que, dans vingt ans, le reste du Canada compterait 250 députés, et le Québec 75 seulement. Représentant plus du tiers des députés des Communes en 1867, les députés du Québec en formeraient moins du quart à la fin du siècle.

Représentation à la Chambre des Communes

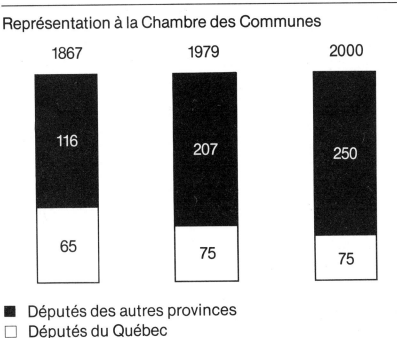

1867   1979   2000

116   207   250

65   75   75

■ Députés des autres provinces
□ Députés du Québec

Ce serait s'illusionner de croire que les francophones pourront, désormais, jouer un rôle déterminant au sein du gouvernement du Canada. Ils y seront, au contraire, de plus en plus minoritaires, et le Canada anglais pourra de plus en plus gouverner sans eux. À cet égard, le gouvernement Clark est loin d'être une anomalie: il est le signe des temps à venir.

Devant ces perspectives, et compte tenu de l'expérience du fédéralisme vécue par le Québec, surtout en ces dernières années, les Québécois s'entendent sur l'urgence qu'il y a d'agir avant qu'il soit trop tard. Le fédéralisme canadien s'est révélé incapable de leur assurer l'autonomie politique qu'ils ont toujours recherchée: le temps est donc venu pour eux de décider s'ils remplacent ce régime ou s'ils tentent, encore une fois, de le modifier plus ou moins profondément.

Chapitre trois
L'impasse du fédéralisme

Chapitre trois
L'impasse du fédéralisme

Selon le gouvernement du Québec, l'histoire récente prouve l'impossibilité de renouveler le fédéralisme canadien, de façon qu'il réponde à la fois aux besoins du Québec et à ceux du Canada.

De nombreuses tentatives ont été faites, en effet, et depuis plusieurs années, pour modifier en profondeur notre régime fédéral. Toutes ont été vaines, malgré de grands efforts. Que signifient donc tant d'échecs répétés, dans un domaine si important?

La crise économique et la centralisation

Au cours de la crise économique des années 30, apparurent au grand jour certaines faiblesses majeures du fédéralisme canadien, alors que le Canada n'arrivait pas à se sortir du marasme dans lequel il était tombé. Au début, on s'en tint aux mesures traditionnelles: programmes de colonisation, travaux publics, secours directs, limitation des heures de travail, etc., autant de palliatifs sans grands effets. Rapidement, tant le gouvernement fédéral que les gouvernements provinciaux et municipaux furent débordés par l'ampleur des problèmes, la banqueroute menaçant même certaines provinces et plusieurs municipalités.

Il devint évident que le fonctionnement du fédéralisme canadien était à réexaminer; le gouvernement libéral de Mackenzie King créa la Commission Rowell-Sirois, dont le mandat garde encore un petit air d'actualité: faire des recommandations sur la répartition des pouvoirs législatifs et le partage de l'assiette fiscale.

Deux solutions s'offraient aux commissaires: ou bien répartir les compétences entre les paliers de gouvernement de façon qu'elles correspondissent à leurs ressources fiscales, ou bien réaménager ces ressources pour permettre aux gouvernements provinciaux de s'acquitter de leurs responsabilités constitutionnelles. Choisissant d'accentuer le caractère centralisé de la fédération, les commissaires proposèrent de confier au gouvernement d'Ottawa la responsabilité des nouveaux programmes d'assurance-chômage et de pensions de vieillesse, en lui remettant, à ces fins, le monopole des impôts sur le revenu personnel, sur les profits des sociétés et sur les successions. En contrepartie, ils suggérèrent à Ottawa de verser aux provinces des subventions annuelles, établies selon une norme pan-canadienne. Quant à la répartition des pouvoirs, la Commission proposa un mécanisme nouveau: la délégation des compétences d'un palier de gouvernement à l'autre, selon les besoins et les circonstances.

Ce «nouveau fédéralisme», le Québec et certaines autres provinces le jugèrent tout à fait inacceptable. La Seconde Guerre mondiale ayant éclaté sur les entrefaites, les recommandations de la Commission furent, temporairement, mises de côté,—sauf la question de l'assurance-chômage.

L'après-guerre

La guerre terminée, le gouvernement fédéral lança une formidable offensive centralisatrice qui, depuis, n'a jamais cessé. Le Québec, dès lors, résista sans désemparer. Ottawa réduisant peu à peu l'opposition des provinces anglophones,—l'Ontario étant la dernière à céder en 1952,—le premier ministre Duplessis créa, en 1953, sa propre Commission constitutionnelle,—la Commission Tremblay,—qui proposa une conception bien différente du fédéralisme:

• souveraineté des provinces dans leurs champs de juridiction;
• égalité des deux ordres de gouvernements;
• autonomie fiscale des provinces;
• reconnaissance du gouvernement du Québec comme gouvernement national des Canadiens français.

Le rapport de la Commission Tremblay donna une vigueur nouvelle à la lutte autonomiste du Québec, particulièrement vive pendant la «révolution tranquille» des années 60. Les nombreuses réformes entreprises à cette époque, pour mieux répondre aux besoins des Québécois et des Québécoises, illustrèrent plus que jamais la nécessité d'une plus juste répartition des compétences constitutionnelles. À cause de la présence et de l'action du gouvernement fédéral dans bien des secteurs où il voulait agir, le Québec, en effet, éprouva de la difficulté à planifier et à mettre en oeuvre les mesures dont il rêvait. Aussi lui fallut-il, pour consolider ses propres pouvoirs, exercer une pression continue sur Ottawa.

Cette pression ne fut point sans résultats: le Québec se retire de certains programmes conjoints; il accroît sa marge de manoeuvre fiscale, alors que ses besoins ne cessent d'augmenter; il signe des ententes avec la France, crée son propre régime de pensions, établit sa Caisse de dépôt.

Pendant un certain temps, le Québec réussit, de la sorte, à ralentir et même à contenir l'élan centralisateur d'Ottawa. Mais, dans le cas de la fiscalité, les nouveaux arrangements n'auront permis qu'un retour partiel à la situation d'avant-guerre; et sa marge de manoeuvre fiscale, le Québec l'augmenta bien plus par l'apport de ses contribuables que par les revenus provenant d'Ottawa.

La Commission Laurendeau-Dunton
Devant cette poussée du Québec, qui remettait en cause sa conception de l'ordre fédéral, le gouvernement canadien, alors dirigé par Lester B. Pearson, créa, en 1963, la Commission sur le bilinguisme et le biculturalisme au Canada, qui devait recommander les mesures à prendre pour assurer la croissance de la fédération canadienne d'après le principe de l'égalité des deux peuples fondateurs. Dès sa séance préliminaire, en novembre 1963, la Commission posait deux questions:

- Que signifie concrètement l'égalité des deux langues et des deux cultures, et dans quelles conditions peut-elle être réalisée?
- Les Canadiens désirent-ils cette égalité? Acceptent-ils les conditions sans lesquelles elle ne saurait être obtenue?

Plus tard, dans leur premier document de travail, les commissaires faisaient part d'une constatation, puis posaient une question:

- L'égalité dont il s'agit n'est pas l'égalité des citoyens devant la loi qui est déjà inscrite dans la législation, mais l'égalité des cultures et des sociétés.

• Comment concilier les exigences de cette égalité dans le cadre d'un fédéralisme à dix provinces et d'une démocratie parlementaire où les représentants politiques des deux cultures sont inégaux en nombre?

Dès ce moment, il devint évident que les réponses ne seraient pas faciles. Plus de dix ans ont passé depuis le rapport Laurendeau-Dunton. Il est intéressant de revoir, avec le recul du temps, comment les commissaires percevaient alors le problème canadien:

«Le Canada traverse la période la plus critique de son histoire depuis la Confédération. Nous croyons qu'il y a crise: c'est l'heure des décisions et des vrais changements; il en résultera soit la rupture, soit un nouvel agencement des conditions d'existence.(…)

Les principaux protagonistes du drame, qu'ils en soient pleinement conscients ou non, sont le Québec français et le Canada anglais. Et il ne s'agit plus du conflit traditionnel entre une majorité et une minorité. C'est plutôt un conflit entre deux majorités: le groupe majoritaire au

André Laurendeau   *Davidson Dunton*

Canada et le groupe majoritaire au Québec. Cela revient à dire que le Québec francophone s'est longtemps comporté un peu comme s'il acceptait de n'être qu'une «minorité ethnique» privilégiée. Aujourd'hui, le Québec ...se regarderait lui-même comme une société presque autonome et s'attendrait à être reconnu comme telle. Cette attitude se rattache à un espoir traditionnel au Canada français: celui d'être l'égal, comme partenaire, du Canada anglais. (...)

Les Canadiens de langue anglaise, en général, doivent en venir à reconnaître l'existence, au Canada, d'une société francophone vigoureuse...Il faut donc qu'ils acceptent, comme nécessaire à la survivance du Canada, une association réelle comme il n'en peut exister qu'entre partenaires égaux. Ils doivent être prêts à discuter, franchement et sans préjugés, les conséquences pratiques d'une telle association.»[1]

Ce rapport apportait certains éléments de réponses aux questions soulevées par ce que les commissaires appelaient l'idée maîtresse de leur mandat, c'est-à-dire l'égalité entre les deux peuples:

«Les deux cultures dominantes s'incarnent dans des sociétés distinctes...Et nous avons reconnu dans le Québec les principaux éléments d'une société francophone distincte. Ainsi en est-il pour l'autre culture dans les provinces anglophones...L'unité fondamentale de cette société anglophone est, à nos yeux, un fait indiscutable, illustré en particulier par la facilité relative avec laquelle les membres des entités et même des sociétés partielles (créées par des groupes culturels ni anglais ni français) se reconnaissent dans le gouvernement central et s'intègrent à sa fonction publique. (...)

L'égalité, dans notre interprétation du mandat (de la Commission), ne saurait être seulement celle des deux peuples qui ont fondé la Confédération mais celle de leurs langues et de leurs cultures respectives, donc celle de tous ceux qui parlent ces langues et participent à ces cultures, quelle que soit leur origine. Le principe d'égalité prime pour nous toutes les considérations historiques ou juridiques. (...)

---

(1) **Rapport préliminaire de la Commission royale d'enquête sur le bilinguisme et le biculturalisme,** Ottawa, 1965, pp. 125 et suivantes.

L'égalité individuelle ne saurait exister tout à fait que si chaque communauté a partout les moyens de progresser dans sa culture et d'exprimer celle-ci. Pour ce, elle disposera, dans certains domaines, d'institutions qui lui seront propres, alors que, dans les autres, il lui sera loisible de participer, dans des conditions satisfaisantes, à des institutions et à des organismes communs. (...)

Quant à l'autre dimension de l'égalité entre les deux communautés, la dimension politique, c'est la faculté laissée à chacune de choisir ses propres institutions, ou du moins de participer pleinement aux décisions politiques prises dans des cadres partagés avec l'autre communauté.

L'aspect collectif de la notion d'égalité est encore plus évident ici. Il ne s'agit plus du développement culturel et de l'épanouissement des individus, mais du degré d'autodétermination dont dispose une société par rapport à l'autre. On a alors en vue le pouvoir de décision, la liberté d'action de chacune, non seulement dans sa vie culturelle mais dans l'ensemble de sa vie collective. Il ne s'agit plus de traits qui distinguent qualitativement les deux communautés, ni encore de leur situation économique et sociale respective, mais de la maîtrise plus ou moins complète de chacune sur le ou les gouvernements qui la régissent. (...)

La majorité qui domine un cadre politique considère facilement ses avantages comme allant de soi et ne mesure pas les inconvénients subis par la minorité, surtout lorsque celle-ci est traitée avec une certaine libéralité au point de vue culturel, ou du moins avec une apparence de libéralité. Mais la minorité, du moment que sa vie collective lui apparaît comme un tout, peut fort bien en vouloir la maîtrise et regarder au-delà des libertés culturelles. Elle pose alors la question de son statut politique. Elle sent que son avenir et le progrès de sa culture ont quelque chose de précaire et, peut-être, de limité dans un cadre politique dominé par une majorité constituée par l'autre groupe. (...)

Cette façon de voir, si fortement contestée par certains, est très profondément ancrée au Québec. Elle a même été, ces dernières années, à l'origine des manifestations les plus spectaculaires, sinon les plus graves, de la crise observée au Canada. » [1]

Ces lignes furent écrites en 1967!

Or, le rapport de la Commission devait rester sans suite quant à l'une de ses dimensions fondamentales, celle de l'égalité politique. La mort d'André Laurendeau, co-président de la Commission, l'arrivée au pouvoir du premier ministre Pierre-Elliot Trudeau, le fait que la Commission ne traduisit pas dans des propositions concrètes sa notion d'égalité politique, tout cela contribua à faire oublier cet élément essentiel du rapport Laurendeau-Dunton. Espérant néanmoins résoudre le problème québécois, Ottawa accepta de mettre en vigueur certaines des recommandations du rapport touchant l'égalité linguistique individuelle, mais les questions fondamentales que, dès 1963, se posaient les commissaires: que signifie concrètement l'égalité des deux sociétés? comment concilier cette égalité dans le cadre d'un fédéralisme à dix provinces?—ces questions demeurèrent sans réponses comme sans suite.

La révision constitutionnelle de 1968-1971

Ces réponses, plusieurs espérèrent les obtenir au cours de ce qui allait devenir le plus grand effort de révision constitutionnelle de l'histoire du Canada. De février 1968 à juin 1971, premiers ministres, ministres et fonctionnaires se réunirent à maintes reprises, tantôt devant les caméras de la télévision, tantôt à huis clos, pour examiner le problème constitutionnel dans son ensemble, en vue d'y apporter une solution satisfaisante. Pendant trois ans et demi, on consulta de nombreux experts, on produisit des centaines de documents, on prit des dizaines de positions officielles. En juin 1971, pourtant, à la suite de la conférence de Victoria, toute cette entreprise échoua. Le problème canadien restait entier.

Il serait impossible de retracer ici, même brièvement, l'histoire de ce grand débat. Retenons seulement que, pour en assurer le succès,—du point de vue d'Ottawa et des autres provinces,—il eût fallu que le Québec, en

---

(1) **Rapport de la Commission royale d'enquête sur le bilinguisme et le biculturalisme**, livre 1, Ottawa, 1967, pp. XXIII et suivantes.

souscrivant à la charte constitutionnelle de Victoria, renonçât à des principes et à des positions qu'il jugeait fondamentaux. Tout au long des multiples conférences et séances de travail, jamais les conceptions du Québec et celles du Canada anglais ne parurent conciliables. Tandis que le Québec désirait avant tout un nouveau partage des compétences qui eût permis la reconnaissance constitutionnelle de la nation québécoise et lui eût assuré les moyens de satisfaire à ses aspirations, le Canada anglais s'intéressait surtout au rapatriement de la constitution, à la modernisation d'institutions fédérales comme le Sénat et la Cour suprême, et à certains aspects partiels de la répartition des pouvoirs entre Ottawa et les provinces; quant au gouvernement fédéral, qui tenait d'abord à insérer dans la constitution une charte des droits fondamentaux et linguistiques, il partageait, pour le reste, les vues du Canada anglais.

Au fond, et dès le départ, le Québec et ses interlocuteurs divergeaient d'opinion sur la nature même du problème: le statut du Québec et des Québécois, comme formant une société, dans le Canada. Le Canada anglais privilégiait les droits individuels et voulait écarter toute référence aux droits collectifs; le Québec, au contraire, soutenait que la crise canadienne ne pouvait être dénouée que par la reconnaissance officielle de la dualité nationale du Canada, et par l'acceptation des conséquences politiques qui en découlent.

La Commission Pepin-Robarts

Surpris par le résultat des élections québécoises de 1976, Ottawa s'empressa de créer une nouvelle Commission d'enquête,—la Commission Pepin-Robarts,—sur l'unité canadienne, qui remit son rapport en janvier 1979. Comme il fallait s'y attendre, on y trouve un nouveau diagnostic sur ce qu'il est convenu d'appeler la crise canadienne. Malgré un cri d'alarme semblable sur l'urgence de la révision constitutionnelle, l'analyse des commissaires diffère de celle de la Commission Laurendeau-Dunton. Les nouveaux commissaires délaissent sensiblement le thème de l'égalité des deux peuples pour celui de l'unité du Canada: de la recherche de l'égalité entre les deux peuples fondateurs, ils passent à la simple reconnaissance de la **dualité.** Ce changement de perspective, qui mérite d'être souligné, se remarque d'autant plus facilement que les commissaires vont jusqu'à préciser que le caractère dualiste du pays est tempéré, à l'extérieur du Québec, par un fort régionalisme. En bref, ils apprennent aux Québécois que «leur» problème n'est qu'un des six problèmes majeurs auxquels fait maintenant face le Canada,—les cinq autres étant les revendications des autochtones, une conjoncture économique difficile, l'aliénation de l'Ouest canadien, le réveil des néo-Canadiens et la remise en question du gouvernement central.

Si le rapport Pepin-Robarts ne proposait pas aux Québécois la solution qu'ils eussent pu en attendre, il recommandait néanmoins d'augmenter les pouvoirs du Québec, surtout en matières sociales et culturelles. Or, à peine quelques semaines après sa publication, il avait déjà été, en fait, déposé par Ottawa sur la tablette où sommeillent d'autres rapports du même genre. Et, depuis l'arrivée au pouvoir du gouvernement Clark, on n'en a même plus entendu parler.

Les derniers efforts

La dernière série de négociations, qui dura d'octobre 1978 à février 1979, fut un effort désespéré et de dernière minute du gouvernement fédéral (projet de loi C-60) pour démontrer aux Québécois et aux Québécoises qu'il était possible de s'entendre sur certains changements constitutionnels. L'échec de cet exercice n'a fait, somme toute, qu'apporter la preuve du contraire.

Il semble peu probable, d'ailleurs, que le nouveau gouvernement conservateur de M. Clark rouvre véritablement ce dossier: en dépit de ses promesses électorales, il ne paraît pas, en effet, devoir aborder de front le problème constitutionnel,—qui, pour lui, n'est même pas prioritaire.

De l'avis du gouvernement du Québec, l'histoire lamentable des tentatives, aussi vaines que nombreuses, de révision de la constitution prouve combien il est illusoire, désormais, de penser renouveler le fédéralisme de façon à contenter à la fois le Québec et le reste du Canada.

Un obstacle insurmontable

Car il y a, sur la voie du «fédéralisme renouvelé», un obstacle insurmontable: pour renforcer le Québec, et pour le bâtir, les Québécois doivent, en fait, dans le régime actuel, demander au Canada anglais d'affaiblir et de démanteler ses institutions nationales; pour répondre à nos exigences, en effet, il faudrait procéder, en faveur de toutes les provinces, à un transfert tel de pouvoirs qui se trouvent actuellement à Ottawa qu'il équivaudrait, pour le Canada anglais, à une quasi disparition du gouvernement central. Or,—nous l'avons dit,—dès 1867, les anglophones ont tenu à donner la prépondérance à leur gouvernement «national», de même qu'ils ont eu tendance, à chaque période de crise, à augmenter ses pouvoirs et ses moyens d'action. Comment espérer, dès lors, les voir abandonner ce qu'ils ont mis plus de cent ans à bâtir? Leur détermination à sauvegarder leurs institutions n'a probablement d'égal que la volonté du Québec de satisfaire et ses besoins et ses aspirations.

La logique du système

Bien sûr, les Canadiens anglais se disent prêts à améliorer le régime. Mais il faut prendre garde aux mots: l'expression «fédéralisme renouvelé», à la mode ces années-ci, peut s'entendre de bien des façons.

Quand ils parlent de «fédéralisme renouvelé», certains Québécois, insatisfaits du statu quo, pensent à une transformation sérieuse et substantielle du régime, et non point à une simple retouche, toute de surface.

Les Canadiens anglais, pour leur part, donnent à l'expression un sens bien différent: c'est, en réalité, à un «fédéralisme retouché» qu'ils aspirent, les réformes devant, selon eux, respecter entièrement le rôle et les attributions du gouvernement central, en tant que «gouvernement national» de tous les Canadiens. Cette exigence préalable implique le maintien de la main-mise fédérale sur des leviers que le Québec, quant à lui, juge indispensable à son progrès.

L'équilibre même du régime, tel que le veut la majorité canadienne, exige que le Québec demeure une province—ou, si l'on veut, un territoire—parmi dix autres, et interdit la reconnaissance formelle et concrète d'une nation québécoise. Cette impossibilité pour le Québec d'accéder au rang de nation, dans le régime fédéral actuel, voilà justement le fond du problème politique canado-québécois.

Une illusion: le statut particulier

Certains Québécois ont cru de bonne foi trouver la solution de ce problème dans l'octroi au Québec d'un statut particulier. En vogue pendant les années 60, reprise par la suite avec certaines variantes, cette idée comportait, en apparence, l'avantage de répondre en bonne partie aux aspirations du Québec, sans pour autant forcer les autres provinces à un réaménagement constitutionnel dont elles ne veulent pas. Mais, cette solution, le Canada anglais s'empressa de la rejeter, en s'opposant à toute acquisition éventuelle, par le Québec, de pouvoirs qui eussent été refusés aux autres provinces.

Au reste, et comme l'a souvent affirmé l'ancien premier ministre Trudeau, un statut particulier pour le Québec placerait les députés québécois, à Ottawa, dans une situation absurde et intenable: comment pourraient-ils se prononcer sur des lois fédérales qui vaudraient pour tout le Canada, sauf pour le Québec? comment pourraient-ils imposer aux Canadiens des taxes que ne paieraient pas les Québécois? et comment le premier ministre et les principaux ministres pourraient-ils venir du Québec, où de nombreux programmes fédéraux ne seraient point en vigueur? Tout le fonctionnement du gouvernement responsable en serait paralysé.

L'impossible renouvellement

Certes, pour tenter de calmer le Québec, le fédéralisme a su, devant certains besoins criants, consentir à des arrangements ou accommodements administratifs, qui n'étaient en rien des réformes en profondeur du régime: ils survenaient chaque fois dans une situation de crise; étaient offerts automatiquement à toutes les provinces, pour ne pas accorder un traitement particulier au Québec; évitaient toute modification constitutionnelle; et n'étaient réalisables que dans la mesure où ils n'affaiblissaient pas, dans les domaines visés, la suprématie ultime du fédéral. En d'autres mots, l'équilibre fondamental du régime ne doit pas être ébranlé,—ce qui arriverait infailliblement si le Québec modifiait son statut de province. Or, tout le débat constitutionnel des dernières années n'a de sens que dans la perspective d'un changement de statut pour le Québec. La démarche autonomiste québécoise, en effet, n'est point une simple dispute administrative entre Québec et Ottawa; elle n'est pas, non plus, l'expression de préoccupations purement régionalistes, à quoi plusieurs voudraient la réduire; elle est la manifestation de la conscience lucide des Québécois et des Québécoises de former une communauté et un peuple distincts. C'est, du reste, la seule raison pour laquelle, au-delà des escarmouches des hommes politiques et des fonctionnaires, ils s'y intéressent si profondément.

Des perspectives à ce point irréconciliables ne pouvaient, certes, que mener à l'échec les pourparlers constitutionnels des dernières années.

Une conclusion

De toutes ces constatations, une conclusion bien simple se dégage. S'ils voulaient à la fois préserver le régime actuel et renouveler le fédéralisme, les Québécois devraient accepter d'abandonner au gouvernement central, où ils seraient toujours—et de plus en plus—minoritaires, un nombre imposant d'attributions et de centres de décision que, jusqu'ici, le Québec a toujours réclamés; accepter, par conséquent, de remettre la direction de leurs affaires parfois les plus vitales à un gouvernement sur lequel ils ne pourraient jamais exercer qu'une influence indirecte ou éphémère,—ce qui reviendrait à confier à d'autres la gestion de leurs intérêts et l'orientation de leur avenir. Bien peu de peuples au monde se satisferaient d'un tel arrangement.

Et, pour en finir avec cet impossible «fédéralisme renouvelé», constatons qu'il n'en existe aucune version qui soit acceptée par l'ensemble des partisans du régime actuel, et aucune qui paraisse devoir être mise en oeuvre dans un avenir prévisible. Il est donc manifeste que, pour régler le problème politique Québec-Canada, que décrivait, il y a plus de quinze ans déjà, la Commission Laurendeau-Dunton, il faut recourir à une formule différente.

C'est cette formule, qui satisfera à la fois le besoin d'autonomie du Québec et le besoin, tout aussi normal, de cohésion du Canada anglais, qu'entend maintenant proposer le gouvernement du Québec.

Chapitre quatre
Une nouvelle entente

Chapitre quatre
Une nouvelle entente

Si l'on désire vraiment une nouvelle entente entre le Québec et le reste du Canada, il faut, de toute nécessité, substituer au fédéralisme une nouvelle formule constitutionnelle.

Et, cette formule, on doit la chercher et la définir en prenant en considération les préoccupations fondamentales et légitimes des Québécois et des Québécoises, qui veulent communiquer et dialoguer directement et librement tant avec leurs voisins qu'avec les autres nations; qui n'entendent point détruire le Canada ni en être entièrement séparés; qui souhaitent améliorer leur situation générale; et qui tiennent à ce que les changements à venir se fassent démocratiquement et dans l'ordre.

Ces préoccupations, le gouvernement du Québec les partage et les fait siennes.

La vraie voie
En pensant à l'avenir, le gouvernement du Québec préconise, en effet, une formule constitutionnelle qui, en remplaçant le fédéralisme actuel, respectera les sentiments des Québécois à l'égard du Canada; une formule qui, en d'autres mots, soustraira le Québec à la domination d'Ottawa, sans briser pour autant avec une communauté économique qui s'étend de l'Atlantique au Pacifique; qui assurera au Québec la plus grande autonomie, tout en maintenant l'interdépendance naturelle et les liens, historiques et humains, qui existent entre le Québec et le reste du Canada; qui permettra au Québec de se donner les moyens d'action qui lui manquent, sans forcer les autres provinces à accepter des responsabilités dont elles n'estiment pas avoir besoin; une formule, enfin, qui apportera des solutions permanentes aux multiples problèmes engendrés par les relations historiques entre Québec et Ottawa.

Des deux voies qui s'ouvrent devant les Québécois: un fédéralisme dont le renouvellement en profondeur est, à toutes fins utiles, impossible, parce qu'il en contredirait la nature même, et une nouvelle entente Québec-Canada, capable d'allier l'autonomie politique avec l'interdépendance économique, le gouvernement du Québec a choisi de proposer cette nouvelle entente,—la souveraineté-association, expression contemporaine de la continuité québécoise.

Le phénomène moderne du regroupement

L'histoire récente des relations internationales montre que le fédéralisme n'est plus la seule formule capable de concilier les objectifs de l'autonomie avec ceux de l'interdépendance: en vogue au siècle dernier, il le cède maintenant à l'association entre pays souverains. Alors qu'il ne se crée plus de nouvelles fédérations, les associations économiques s'organisent et se multiplient sur tous les continents. Sans vouloir être exhaustif, on peut dresser le tableau des principaux regroupements, fort nombreux, réalisés depuis quarante ans.

Quelques regroupements modernes d'États souverains
En Europe:
   Communauté Européenne de Charbon et de l'Acier (CECA)
   Communauté Européenne de l'Énergie Atomique (EURATON)
   Communauté Économique Européenne (CEE)
   (Grande-Bretagne, France, République Fédérale Allemande, Italie, Pays-Bas, Belgique, Luxembourg, Irlande, Danemark, et, bientôt, Grèce, Espagne et Portugal)
   L'Union Économique Belgo-Luxembourgeoise
   (Belgique et Luxembourg)
   Le Bénélux
   (Belgique, Pays-Bas, Luxembourg)
   Le Conseil Nordique
   (Islande, Norvège, Suède, Danemark, Finlande)
   L'Association Européenne de Libre-Échange
   (Autriche, Norvège, Finlande, Islande, Suède, Suisse, Portugal)
En Amérique Latine:
   L'Association Latino-Américaine de Libre-Échange
   (Argentine, Brésil, Chili, Mexique, Paraguay, Pérou, Uruguay, Colombie, Équateur, Venezuela, Bolivie)
   Le Groupe d'Intégration Sous-Régionale Andin
   (Bolivie, Pérou, Équateur, Chili, Colombie)
   Le Marché Commun Centraméricain
   (Guatemala, Salvador, Nicaragua, Honduras, Costa Rica)
   La Communauté et le Marché Commun des Caraïbes
   (Antigua, Barbade, Guyane, Trinidad et Tobago, Jamaïque,

Grenade, Dominique, St-Kitts-Nevis, Montserrat, St-Vincent, Anguilla)

En Afrique:
La Communauté Économique de l'Afrique de l'Ouest (CEAO)
(Côte d'Ivoire, Mauritanie, Haute-Volta, Mali, Niger, Sénégal)
L'Union Douanière et Économique de l'Afrique Centrale (UDEAC)
(Cameroun, Empire Centrafricain, République populaire du Congo, Gabon)
L'Union Monétaire Ouest-Africaine (UMOA)
(Bénin, Côte d'Ivoire, Haute-Volta, Niger, Sénégal, Togo, Mali)
La Banque Centrale des États de l'Afrique Centrale (BCEAC)
(Cameroun, Empire Centrafricain, Congo, Gabon, Tchad)

En Asie:
L'Association des Nations de l'Asie du Sud-Est
(Indonésie, Philippines, Malaisie, Singapour, Thaïlande)

Ces diverses associations d'États souverains se distinguent les unes des autres par la nature et l'intégration plus ou moins grande de leur activité, mais aussi par les relations historiques qu'ont entretenues leurs États membres et par les traits caractéristiques de chacun de ces derniers: population, culture, régime politique, etc.

C'est au sein des communautés européennes, probablement, qu'on trouve l'intégration la plus poussée: principalement d'ordre économique, leur activité s'étend à d'autres secteurs, notamment la politique sociale et la politique scientifique. L'Union économique belgo-luxembourgeoise et le Bénélux, qui ont précédé les Communautés économiques européennes, participent au mouvement d'intégration économique européen, mais en conservant une certaine cohésion au sein de l'Europe des Neuf. Quant à l'Association européenne de libre-échange, ses liens économiques sont assez faibles. Par ailleurs, le Conseil nordique et l'Association des nations de l'Asie du Sud-Est, moins fortement intégrés, ont une activité commune plus diversifiée.

S'inscrivant d'emblée dans la tendance historique profonde du Québec, qui a toujours cherché une redéfinition plus égalitaire de ses rapports avec le reste du Canada, c'est à ce genre de formule moderne d'association entre pays souverains que le gouvernement du Québec propose de recourir pour assurer au

Québec une plus grande maîtrise de ses propres affaires, sans, pour autant, faire éclater le cadre économique canadien.

L'association d'égal à égal peut prendre plusieurs formes: beaucoup plus souple que le fédéralisme, elle s'adapte plus facilement aux réalités des pays qui y ont recours, et peut être plus ou moins étroite, selon qu'on veut limiter la coopération à certains secteurs ou profiter le plus qu'il se peut d'un espace économique plus vaste.

Les regroupements économiques modernes sont généralement le résultat de la collaboration de pays distincts et de nations souveraines, qui ont accepté de mettre en commun certains de leurs pouvoirs. Dans ces cas, l'intégration s'est faite à partir de la souveraineté des partenaires; dans notre cas, l'intégration économique existant déjà, c'est la souveraineté des partenaires qu'il s'agit d'établir. Si le point de départ est différent, l'objectif est le même.

La portée de la souveraineté

La notion de souveraineté est clairement définie en droit international: c'est, en termes généraux, le pouvoir de décider soi-même, sans être soumis, en droit, à aucun pouvoir extérieur ou supérieur,—ce qui implique que l'État souverain a la plénitude des compétences sur un territoire déterminé. La souveraineté assure une entière autonomie, en ce sens que l'État jouit de la pleine liberté juridique dans tous les domaines; que son autorité s'exerce, à l'exclusion de toute autre, dans les limites de son territoire; et qu'il peut être présent dans la communauté des nations.

L'État souverain peut, cependant, de son propre gré et sans aliéner sa souveraineté, accepter d'en limiter la portée ou d'en déléguer une partie dans certains domaines précis.

Ainsi, l'exercice conjoint de leur souveraineté, pour deux États liés par un accord ou parties à une association, se traduit nécessairement par des concessions réciproques. Dans le cas qui nous occupe, toute limitation que le Québec accepterait d'imposer à l'exercice de sa souveraineté aurait pour contrepartie une limitation correspondante, acceptée par le Canada, de sa propre souveraineté.

Dans un régime fédéral, la souveraineté est partagée entre deux pouvoirs, dont l'un, le pouvoir central, est prédominant. Les citoyens y sont régis par deux gouvernements, deux séries de lois et deux systèmes de tribunaux; il y a deux sortes d'élections, les unes pour élire un parlement central (la Chambre des Communes, à Ottawa), les autres pour élire un parlement local (l'Assemblée nationale, à Québec); il y a également deux régimes fiscaux; en revanche, il n'y a qu'un seul tarif douanier, une seule monnaie et une seule personnalité internationale.

Suivant la formule que propose le gouvernement du Québec, la souveraineté résidera en entier dans l'État du Québec, de sorte que les Québécois et les Québécoises ne seront plus régis que par un seul gouvernement et ne paieront l'impôt qu'au Québec; grâce à l'association, le Québec et le Canada continueront de n'avoir qu'un seul tarif douanier et qu'une seule monnaie; l'un et l'autre partenaire aura cependant, sa propre personnalité internationale.

En termes juridiques, la différence entre les deux formules pourrait s'énoncer ainsi: à l'heure actuelle, les rapports entre le Québec et le Canada sont régis par une constitution qui partage les pouvoirs entre deux gouvernements, dont un seul, le gouvernement fédéral, jouit de la personnalité internationale; dans la formule proposée par le gouvernement du Québec, le Québec et le Canada jouiront tous deux de la personnalité internationale, et leurs rapports seront régis, non plus par une constitution, mais par un traité d'association. Alors que la situation actuelle du Québec par rapport à Ottawa ressemble à celle des États du Maine ou de l'Illinois par rapport à Washington, dans le cadre d'une association, elle se rapprochera plutôt, avec des nuances importantes, de celle de la France ou de la Hollande par rapport au Marché commun européen.

Mais toute comparaison est imparfaite. Les États-Unis d'Amérique ou le Marché commun sont issus de besoins et de situations qui ne correspondent pas nécessairement à ceux du Québec et du Canada d'aujourd'hui, et l'on peut dire la même chose de tous les regroupements qu'on a tenté de réaliser jusqu'ici dans le monde. À des expériences variées correspondent des formules politiques et des structures fort différentes, et aucune ne représente, pour les autres, un modèle taillé sur mesure. Et si l'expérience de regroupement et d'association la plus connue, celle de l'Europe, est à quelques reprises évoquée dans le présent document, cela ne signifie point que, dans sa proposition, le gouvernement du Québec s'en inspire entièrement, comme d'une formule importable chez nous,—d'autant que cette expérience européenne est loin d'être terminée.

Les formes d'association

L'association économique d'États souverains peut revêtir une multitude de formes, selon la combinaison choisie des éléments mis en commun et de la souveraineté assumée en totalité. La mise en commun d'un certain nombre d'éléments peut se faire par le moyen de dispositions légales, réglementaires ou institutionnelles aussi nombreuses que diverses, de sorte que, entre l'État à peu près libre de toute attache et la collectivité nationale à peu près complètement éclipsée par un État plus vaste, il peut se rencontrer une infinité de situations intermédiaires et d'arrangements possibles. Aussi, a-t-on coutume de distinguer quatre formules générales d'intégration, de la moins contraignante à la plus poussée: la zone de libre-échange, l'union douanière, le marché commun et l'union monétaire.

Les formes d'association

—En général, une zone de **libre-échange** se définit comme **un espace formé d'États souverains et à l'intérieur duquel les marchandises peuvent circuler librement.** Les États souverains qui constituent de tels ensembles n'ont pas à être géographiquement contigus, comme il arrive pour l'Association Européenne de libre-échange. Dans ce cas, il n'y a pas de droits de douanes entre les pays participants, lesquels décident librement de leur politique commerciale envers les non-membres. Une zone de libre-échange peut être complète, ou elle peut comporter le droit de recourir à certaines mesures, administratives, par exemple, qui en restreignent la portée dans certains domaines. Ces distinctions mises à part, on peut dire que, si le Québec et le Canada optaient pour une telle formule, il n'y aurait pas de droits de douanes à payer sur les marchandises allant du Québec au Canada et du Canada au Québec. Par ailleurs, le Québec et le Canada resteraient libres, chacun de son côté, d'établir, vis-à-vis les pays tiers, les tarifs douaniers ou les politiques commerciales qui leur paraîtraient souhaitables.

—**L'Union douanière** se définit comme **un espace formé de pays souverains, à l'intérieur duquel les tarifs douaniers ont été supprimés et qui a établi une politique commerciale unique et un tarif uniforme à l'endroit des pays tiers.** Dans les faits, une telle formule peut souffrir certains arrangements spécifiques destinés à tenir compte, temporairement ou à long terme, de certaines situations particulières. Les formules générales que l'on groupe sous le vocable d'unions douanières se distinguent donc de la zone de libre-échange par la mise en vigueur d'une politique commerciale commune, plus ou moins poussée, envers les non-membres. En termes généraux, si le Québec et le Canada optaient pour une formule d'union douanière, ils accepteraient de laisser circuler librement les marchandises à l'intérieur des frontières actuelles du Canada et conserveraient une politique commerciale commune et un tarif unique envers le reste du monde.

—On appelle **marché commun, l'espace formé d'États souverains à l'intérieur duquel les marchandises, les personnes et les capitaux peuvent circuler librement, cet espace étant alors relié au reste du monde par une politique commerciale et tarifaire unique.** La formule, là encore, peut donner lieu à des arrangements divers et fort nombreux, pour tenir compte de la variété des situations selon les régions, les secteurs d'activité, les périodes, etc. Si ces arrangements particuliers sont importants, on dit parfois qu'on a affaire à un **marché commun imparfait.** C'est **le cas à l'heure actuelle** du Canada, à cause, en particulier, des dipositions qui concernent les **produits agricoles,** les **produits pétroliers** et les **tarifs des chemins de fer.** Si le Québec et le Canada devaient créer ensemble un marché commun plus ou moins parfait, il leur faudrait remplacer les institutions fédérales actuelles par de véritables institutions conjointes.

—**L'union monétaire,** enfin, se définit comme **l'espace formé d'États souverains à l'intérieur duquel les marchandises, les personnes et les capitaux peuvent circuler librement, cet espace étant d'une part relié au reste du monde par une politique commerciale et tarifaire unique, et d'autre part doté d'une monnaie unique et donc d'une seule et même politique monétaire.** Là encore, la transformation du Canada en une véritable union monétaire Québec-Canada supposerait le remplacement des institutions monétaires fédérales actuelles par des institutions conjointes.

La spécificité Québec-Canada

On voit, par ce qui précède, à quel point sont variées les formes d'association que se sont données, de par le monde, de nombreux peuples souverains; non moins diverses les circonstances historiques qui ont conduit ces peuples à telle ou telle forme d'association. Or, le Québec évolue, lui aussi, dans des conditions qui lui sont particulières, et qui, malgré des points de ressemblance, ne peuvent se ramener à aucun des cas cités. C'est pourquoi les institutions et le fonctionnement de la future association du Québec et du Canada devront refléter les caractéristiques propres de l'une et l'autre communauté.

La plupart des pays aujourd'hui regroupés au sein d'associations diverses jouissaient, au moment d'y adhérer, d'une souveraineté depuis longtemps acquise, et ceux d'entre eux qui sont associés depuis quelques décennies l'ont fait à une époque où l'État n'occupait encore qu'une place réduite dans l'activité économique des nations. Or, le Québec, d'une part, n'a pas encore accédé à la souveraineté, et les institutions de l'État, d'autre part, à cause de l'importance de leurs dépenses à tous les paliers du gouvernement, jouent, tant au Québec que dans le reste du Canada, un rôle économique et social fort considérable.

Compte tenu de la situation de nos deux communautés, et parce qu'il entend à la fois préserver et mettre en valeur l'espace économique que le Canada et le Québec ont en commun, le gouvernement du Québec veut proposer au reste du Canada de demeurer associé à lui dans la mise en oeuvre non seulement d'une union douanière et d'un marché commun, mais aussi d'une union monétaire. Ainsi pourra-t-on conserver intact le Canada en tant qu'espace économique, tout en accordant au Québec la totalité des pouvoirs dont il a besoin, comme nation, pour assurer son plein épanouissement. En remplaçant le fédéralisme par l'association, en effet, on maintiendra les échanges économiques, mais on changera la nature des rapports juridiques et politiques entre le Québec et le Canada.

La formule proposée

Pour que soit bien comprise la formule constitutionnelle proposée par le gouvernement du Québec, nous en décrirons maintenant le fonctionnement, en examinant les pouvoirs qu'exercera le Québec et en précisant l'étendue de l'association Québec-Canada; nous dirons aussi un mot des structures communautaires qu'il faut prévoir.

Mais, au préalable, et pour éviter toute confusion, notons que la formule ici décrite ne sera pas automatiquement mise en vigueur le lendemain du référendum; elle sera, et ne peut être, que l'aboutissement de négociations entre le Québec et le Canada;—et ce sont ces négociations, justement, qui seront entamées à la suite d'une réponse positive des Québécois et des Québécoises. Au reste, nous expliquerons, dans le chapitre suivant, comment la formule proposée sera graduellement mise en oeuvre.

A. La souveraineté

Par la souveraineté, le Québec, en plus des pouvoirs politiques qui sont déjà siens, acquerra donc ceux qui sont actuellement exercés par Ottawa, soit qu'ils lui aient été confiés par l'acte fédératif de 1867, soit qu'il se les soit directement ou indirectement appropriés depuis.

La souveraineté, c'est le pouvoir de lever tous les impôts, de faire toutes les lois et d'être soi-même présent sur le plan international; c'est aussi la possibilité d'exercer librement, en commun, avec un ou plusieurs États, certains de ses pouvoirs nationaux. Aussi l'accession du Québec à la souveraineté aura-t-elle plusieurs conséquences juridiques sur le pouvoir de faire des lois et de lever les impôts, sur l'intégrité du territoire, sur la citoyenneté et sur les minorités, sur les tribunaux et les diverses autres institutions, et sur les relations du Québec avec les autres pays.

Pour chacun de ces sujets, le gouvernement veut définir aussi précisément que possible la position qu'il entend adopter dans ses négociations avec le reste du Canada.

● *Les lois et les impôts*

Les seules lois en vigueur sur le territoire du Québec seront celles qu'aura adoptées l'Assemblée nationale, et les seuls impôts qui pourront y être levés seront ceux qu'on décrétera en vertu des lois du Québec. De cette façon, l'on mettra fin à la double action, souvent dénoncée, des services fédéraux et de ceux du Québec, tout en permettant au Québec de récupérer la totalité de ses ressources fiscales.

Les lois fédérales continueront d'être en vigueur, en tant que lois québécoises, aussi longtemps qu'elles n'auront pas été modifiées, abrogées ou remplacées par l'Assemblée nationale.

● *Le territoire*

Le Québec a un droit inaliénable sur son territoire, reconnu même dans la constitution actuelle, laquelle stipule que le territoire d'une province ne peut être modifié sans le consentement de cette province. En outre, depuis la conclusion de l'entente sur la Baie James, il n'existe plus aucune servitude sur une partie quelconque du territoire québécois. En accédant à la souveraineté, le Québec, comme c'est la règle en droit international, conservera donc son intégrité territoriale.

On pourrait souhaiter, de surcroît, que le Québec retrouve les avantages que devrait, normalement, lui valoir sa position géographique, et que soient levées les incertitudes qui entourent les juridictions sur le Golfe, le Labrador et les régions arctiques.

● *La citoyenneté*

Le gouvernement du Québec s'engage à ce que tout citoyen canadien qui, au moment de l'accession à la souveraineté, sera domicilié au Québec, ou à ce que toute personne qui y sera née, ait automatiquement droit à la citoyenneté québécoise; quant à l'immigrant reçu, il pourra compléter son délai de résidence et obtenir sa citoyenneté. Il appartiendra au Parlement du Canada de décider si les Canadiens qui recevront la citoyenneté québécoise pourront également conserver la citoyenneté canadienne. Le Québec, pour sa part, n'y verrait pas d'objection.

Toute personne qui naîtra dans un Québec souverain aura droit à la citoyenneté québécoise; il en sera de même pour toute personne née à l'étranger d'un père ou d'une mère de citoyenneté québécoise.

La citoyenneté québécoise sera reconnue par un passeport distinct, quoique la possibilité d'une entente avec le Canada sur l'utilisation d'un passeport commun ne soit pas exclue,—d'autant que les deux États auront entre eux des relations étroites, d'un caractère communautaire, qui permettront ce genre d'accommodement.

Les citoyens canadiens pourront jouir des mêmes droits au Québec que les citoyens québécois au Canada. Les droits acquis des ressortissants étrangers seront, aussi, pleinement reconnus.

● Les minorités

Le gouvernement assure à la minorité anglophone du Québec qu'elle continuera à jouir des droits qui lui sont actuellement accordés par la loi, et aux autres communautés du Québec que l'État leur fournira les moyens nécessaires à la mise en valeur de leurs richesses culturelles.

Les communautés amérindiennes et inuit qui le désirent jouiront, sur leur territoire, d'institutions destinées à sauvegarder l'intégrité de leurs sociétés et à leur permettre de se développer librement, selon leur culture et leur génie propres.

Quant aux minorités francophones du Canada, le Québec entend s'acquitter pleinement, à leur égard, de la responsabilité morale qui est la sienne, comme, du reste, il a commencé à le faire, malgré la modicité de ses moyens.

● Les tribunaux

Les tribunaux québécois seront, naturellement, les seuls à pouvoir rendre la justice au Québec. Tous les juges seront nommés conformément aux lois québécoises, les juges en exercice étant maintenus en fonction. Toutefois, un tribunal conjoint, constitué en vertu du traité d'association Québec-Canada, aura le pouvoir d'interpréter ce traité et de statuer sur les droits qui en découleront.

● Les relations extérieures

Le Québec continuera d'être lié par les traités auxquels le Canada est partie. Il pourra s'en dégager, le cas échéant, conformément au droit international. Le Québec respectera, par conséquent, l'accord sur la Voie maritime du Saint-Laurent et deviendra membre à part entière de la Commission mixte internationale. Pour ce qui est des alliances comme l'OTAN et le NORAD, le Québec en restera solidaire et y apportera sa contribution en fonction de ses objectifs.

Pour jouer pleinement son rôle sur la scène internationale et défendre ses intérêts, le Québec demandera son admission à l'Organisation des Nations-Unies et à ses agences spécialisées.

Enfin, tout en développant ses relations et sa coopération avec les pays francophones, le Québec envisagera de demeurer membre du Commonwealth britannique.

B. L'Association

Dans le monde actuel, aucune nation, grande ou petite, ne peut vivre isolée. L'interdépendance, à cause des avantages économiques qu'elle peut comporter, est loin de revêtir le caractère contraignant que d'aucuns croient y déceler; elle peut, au contraire, donner lieu à des formes enrichissantes de collaboration et de complémentarité, et, par là, améliorer le sort présent et futur des sociétés participantes.

Le Québec n'a jamais voulu vivre isolé: il accepte donc, d'emblée, l'interdépendance, pourvu qu'il prenne une part directe à l'établissement de ses modalités.

Le gouvernement du Québec se propose donc d'offrir au reste du Canada de négocier avec lui un traité d'association communautaire, dont le but sera, notamment, de préserver l'espace économique canadien actuel, en assurant la continuité des échanges et en favorisant, à long terme, la croissance, plus rapide et mieux équilibrée, de chacun des deux partenaires.

Ce traité aura un statut international et liera les parties de la manière et pour la durée qui y seront déterminées. Il définira les domaines de l'action commune des partenaires et confirmera le maintien de l'union économique et monétaire entre le Québec et le reste du Canada; il déterminera aussi les domaines où l'harmonisation des orientations sera considérée comme souhaitable; il établira, enfin, les règles et les institutions propres à assurer le bon fonctionnement de la Communauté Québec-Canada, et précisera son mode de financement.

● *Domaines de l'action commune*

a) La libre circulation des marchandises

En vue d'assurer la libre circulation des marchandises, on maintiendra, entre le Québec et le Canada, la situation actuelle, en renonçant de part et d'autre au droit de dresser à la frontière commune des barrières douanières. À l'égard des pays étrangers, les partenaires établiront en commun la protection tarifaire qu'ils jugeront nécessaire, compte tenu des intérêts, à court et à long termes, de chacune des parties et des accords multilatéraux en matière de commerce et de tarifs douaniers.

Le Québec tiendra, cependant, à ce que la protection et l'exploitation de sa production agricole fassent l'objet d'ententes spéciales.

Enfin, les deux États adopteront les dispositions voulues pour garantir la libre concurrence à l'intérieur de leur marché et s'abstiendront de toute mesure fiscale discriminatoire à l'égard de leurs produits.

b) L'union monétaire

Le dollar sera maintenu comme seule monnaie ayant cours légal, et les avoirs réels ou liquides et les titres de créance continueront d'être libellés en dollars. La circulation des capitaux sera libre, mais chaque partie pourra promulguer un code des investissements, ou adopter, le cas échéant, des règles particulières applicables à certaines institutions financières.

c) La libre circulation des personnes

En vue d'assurer la libre circulation des personnes physiques d'un territoire à l'autre, les deux États renonceront au droit d'imposer un contrôle régulier de police à leur frontière commune. Il va de soi qu'aucun passeport ne sera nécessaire entre le Québec et le Canada.

● *Les domaines d'harmonisation*

Pour garantir le bon fonctionnement de la communauté économique et monétaire, les deux parties conviendront, en outre, d'harmoniser certaines orientations et certaines législations. Ce sera le cas, notamment, dans le domaine du transport, où l'on pourra prévoir des ententes particulières concernant les chemins de fer, les transports aériens et la navigation intérieure; ces ententes pourront également prévoir la co-gestion de transporteurs publics communs, Air Canada et le Canadien National, par exemple.

Les deux États négocieront des ententes spécifiques sur les règles qui régiront le marché du travail et le droit d'établissement.

Les deux parties considéreront également comme étant d'un intérêt commun leur politique de conjoncture et les mesures à prendre pour assurer l'équilibre global de la balance des paiements et la stabilité de la monnaie. À cet égard, elles se consulteront mutuellement et prendront l'avis des organismes chargés du bon fonctionnement de l'union, de façon à adopter, le cas échéant, les mesures prévues par le traité d'association.

Le Québec étant fermement convaincu non seulement des avantages, mais aussi de la nécessité, d'une franche politique d'ouverture et de coopération, l'effort d'harmonisation pourra s'étendre à plusieurs autres domaines, et notamment à la défense.

C. Les institutions communautaires

Il faudra, évidemment, que s'engage une négociation sur le nombre, la composition, l'autorité, le financement, le fonctionnement et la nature générale des institutions communautaires que devront, aux fins de l'Association, créer le Québec et le Canada. Que l'on s'inspire ou non des expériences étrangères, les possibilités sont nombreuses. Or, il est parfaitement normal que chacune soit minutieusement évaluée, car, en plus d'être efficaces, ces institutions devront convenir à chacun des partenaires. Aussi serait-il prématuré de prétendre, aujourd'hui, esquisser une fois pour toutes et imposer aux autres le contour définitif de ces nouvelles structures. Il y a place pour le dialogue, l'ouverture d'esprit et la réflexion créatrice.

Rappelons aussi que ces institutions communautaires, quelle qu'en soit la forme finale, ne pourront être mises concrètement sur pied qu'une fois intervenue une entente non seulement sur ces institutions elles-mêmes, mais également sur une série d'autres sujets,—l'échéancier du transfert, d'Ottawa à Québec, des ressources et des responsabilités constitutionnelles, par exemple. On devra discuter de ces institutions en même temps que des autres sujets; mais, leur rôle étant de gérer les domaines communs au Québec et au Canada, leur mise en place ne pourra précéder une entente dans ces domaines communs, qu'elles viendront plutôt couronner, en quelque sorte.—Dans l'intervalle, les institutions fédérales actuelles seront maintenues.

Il n'est pas exclu, d'ailleurs, que certaines institutions fédérales,—la Banque du Canada, par exemple,—ou d'autres structures déjà existantes,—comme certains organismes interprovinciaux,—puissent être modifiés, du moins quant à la nature de la participation québécoise, de façon à leur conférer un caractère communautaire.

Au demeurant, la mise en place de l'union économique et monétaire sera facilitée par le fait que, à l'intérieur du fédéralisme canadien, comme on l'a dit, existent déjà une zone de libre échange, un tarif commun à l'égard des tiers et une monnaie unique. La tâche, dès lors, consistant plutôt à maintenir l'union qu'à la créer, on pourra s'appuyer, au point de départ, sur ce qui existe déjà.

L'égalité juridique des partenaires

Toutefois, la présence de deux partenaires seulement, démographiquement et économiquement inégaux, posera certaines difficultés au cours de la négociation.

Si, pour les fins de l'exposé, on peut prendre pour acquis que le Canada, conservant sa structure fédérale, sera représenté dans l'union par le gouvernement central canadien, il n'est pas impossible, cependant, que certaines provinces exigent d'être parties, elles aussi, au sein du volet canadien de l'Association,—ce à quoi le Québec, évidemment, ne s'oppose pas.

Dans une association à deux, certains sujets fondamentaux doivent naturellement être assujettis à la parité, sans quoi l'une des parties serait à la merci de l'autre. Cela ne signifie pas, cependant, que, dans la pratique quotidienne, tout sera soumis à un double veto.

Certaines institutions de l'union (l'Autorité monétaire, par exemple) jouiront, au contraire, d'une large autonomie de gestion. Les domaines de leur action (comme les douanes et la monnaie) sont d'ailleurs soumis à des contraintes internationales puissantes qui laissent, somme toute, peu de marge de manoeuvre. Compte tenu d'une situation déjà bien établie, dans les domaines du commerce international et de la monnaie, la recherche de la parité ne saurait être un obstacle au progrès de l'union.

Rien n'interdit, au reste, de prévoir des cas où serait reconnu l'intérêt particulier de l'une des parties: le Canada pourra avoir une voix prépondérante dans le domaine du blé, et le Québec dans celui de l'amiante. Il existe, ainsi, toute une gamme de possibilités, qui feront l'objet d'études et de négociations, car l'égalité juridique fondamentale des partenaires n'empêche pas une certaine flexibilité dans le fonctionnement de la communauté. C'est la négociation du traité qui, en consacrant l'égalité juridique des parties, permettra de trouver les mécanismes les plus aptes à assurer le succès de l'association.

Le fonctionnement de l'union et de ses organismes sera financé par les contributions de chacun des partenaires; la façon d'établir le budget et d'en partager le fardeau sera fixée par le traité d'association.

Proposition d'un plan
Le gouvernement du Québec croit qu'il faudrait, d'une façon générale, éviter la multiplication des organismes communautaires, même si les domaines compris dans l'Association peuvent être à la fois nombreux et d'une grande importance. C'est pourquoi le gouvernement ne propose que quatre organismes communautaires qui, dans certains cas, pourront,—comme on l'a dit,—dériver d'institutions fédérales existantes, adaptées aux fins de l'Association (comme l'Autorité monétaire et la Cour de justice).

Le gouvernement du Québec, pour sa part, verrait d'un oeil favorable qu'on en vienne à l'établissement de quatre organismes Québec-Canada:

- **un Conseil communautaire**
- **une Commission d'experts**
- **une Cour de justice**
- **une Autorité monétaire**

Le **Conseil communautaire** sera formé de ministres provenant du Québec et du Canada, et agissant d'après les instructions de leurs gouvernements respectifs. Les représentants du Canada pourront être choisis à la fois par Ottawa et par les provinces. Présidé alternativement par un Canadien et par un Québécois, le Conseil se réunira à des périodes fixes, ou selon les besoins. Il aura un pouvoir de décision sur les matières qui lui seront confiées par le traité d'association, et les décisions relatives aux questions fondamentales requerront l'accord du Québec et du Canada. La négociation postréférendaire déterminera quelles seront ces questions jugées fondamentales,—quelques-unes étant déjà évidentes: l'élargissement de la portée du traité d'association ou l'accroissement des attributions des organismes communautaires, par exemple.

Quant à la **Commission d'experts,** dont le mandat sera défini par le traité d'association, elle sera formée de spécialistes québécois et canadiens, choisis pour leur compétence et nommés pour une période de temps déterminée. Elle servira de secrétariat général à la Communauté et sera soumise aux directives du Conseil. Outre ses fonctions de soutien et le rôle de conseillers de ses membres, il lui reviendra d'établir une liaison technique avec les organismes internationaux intéressés aux questions douanières et commerciales, et de négocier les ententes internationales qui lieront la Communauté en ces matières. Ces ententes seront ensuite approuvées et conclues par le Conseil communautaire.

La **Cour de justice** sera formée d'un nombre égal de juges nommés, pour une période de temps déterminée, par le Québec et par le Canada, et d'un président choisi conjointement par les deux États. Elle aura juridiction exclusive sur l'interprétation et la mise en oeuvre du traité d'association; ses décisions, finales, lieront les parties.

L'**Autorité monétaire** centrale sera présidée, alternativement, par un gouverneur nommé par chaque gouvernement, et le nombre des sièges alloués à chaque partie au Conseil d'administration sera proportionnel à l'importance relative de chacune des deux économies.

Mais le fonctionnement de cette institution exige quelques explications.

D'abord, et en dépit du fait que le Québec et le Canada auront une même monnaie, des adaptations à la banque centrale—que nous appelons actuellement la Banque du Canada—seront nécessaires, pour tenir compte de l'accession du Québec à la souveraineté.

Une banque centrale joue plusieurs rôles, qu'il importe d'examiner en vue de distinguer ceux qui doivent rester conjoints et ceux qui peuvent être dissociés: son premier rôle a trait à la création de la monnaie; son deuxième est d'agir sur la valeur du taux de change; le troisième consiste à administrer le placement et la distribution de la dette publique; le quatrième, enfin, d'une importance variable selon les pays, est de servir de banquier au gouvernement, en lui ouvrant un compte par lequel transite tout ou partie des paiements et des dépôts gouvernementaux.

Comme le Canada et le Québec auront une monnaie unique, les deux premières fonctions devront être conjointes: on ne pourrait imaginer, en effet, le Canada accélérant la création de la monnaie, pendant que le Québec, craignant l'inflation, par exemple, stabiliserait sa masse monétaire. Le seul résultat d'attitudes aussi contradictoires serait de faire baisser le taux de l'intérêt au Canada, et de le faire monter au Québec: les fonds se déplaceraient du Canada vers le Québec, en sorte que l'écart se refermerait rapidement. Car les marchés monétaires et financiers, à notre époque et dans les pays libres, sont, pour ainsi dire, des vases communicants. Si on peut imaginer certaines divergences, relativement à la politique monétaire, entre deux pays qui ont une monnaie unique, elles ne peuvent toutefois être très prononcées.—De même, le taux de change du dollar doit relever d'une seule autorité, car il serait impensable que le Canada cherchât à le faire baisser, pendant que le Québec tenterait de le faire monter.

Les deux autres fonctions peuvent très bien, au contraire, être distinctes d'un État à l'autre. Le Québec, comme province, a toujours eu le droit de gérer sa dette et de diriger ses opérations financières comme il l'entendait: il n'y a aucune raison pour que, devenu souverain, il ne conserve pas ces pouvoirs.

Si d'autres formules sont également possibles, on peut quand même imaginer le système suivant: le Québec et le Canada auraient chacun sa Banque centrale, exerçant l'une et l'autre la troisième et la quatrième fonction d'une semblable institution; pour l'exercice des deux premières fonctions, ces banques seraient placées sous l'Autorité monétaire, dotée de pouvoirs décisionnels et qui aurait, sur les banques centrales, une double juridiction: déterminer les modifications que chacune d'elles devrait apporter aux réserves des banques à charte (et, le cas échéant, des coopératives d'épargne et de crédit), et les transactions que chacune devrait engager sur le marché du change étranger.

En cas de conflit entre les deux gouvernements sur l'orientation donnée soit à la politique monétaire, soit à la politique des changes, le Conseil communautaire serait saisi du différend et s'entendrait sur la façon de le trancher, puisqu'il aurait le pouvoir de donner des directives à l'Autorité monétaire.

Il n'est peut-être pas inutile de rappeler que l'existence de plusieurs banques centrales, coordonnées par un organisme chargé de surveiller la politique monétaire et la politique du change, correspond à la formule américaine, laquelle, toutefois, diffère de la formule ici proposée, en ce que, aux États-Unis, les banques centrales sont régionales et recouvrent le territoire de plusieurs États non souverains. L'expérience américaine montre, néanmoins, la possibilité de conduire, à deux paliers, les opérations de banques centrales.

Un parlement communautaire?

Au sein de certaines associations d'États souverains, on trouve parfois, ou une assemblée interparlementaire formée de membres choisis parmi les députés élus aux parlements des États membres, ou encore un parlement élu directement par la population. Nulle part, toutefois, ces assemblées n'ont de pouvoirs législatifs ou de pouvoirs d'imposer qu'elles puissent accroître de leur propre initiative.

En Europe, après bien des années, on a finalement opté pour un Parlement européen, aux responsabilités limitées, dont les membres sont élus directement par la population des pays participants. D'aucuns ont conclu, de cette expérience particulière du marché commun, que l'Europe se dirigeait vers un régime fédéral semblable à celui du Canada actuel. Il n'en est rien: les similitudes entre le Parlement européen et la Chambre des Communes d'Ottawa sont bien minces, et leurs pouvoirs respectifs ne sont point comparables. En outre, compte tenu des adhésions de plus en plus nombreuses à l'Europe communautaire et du désir évident des États membres de ne pas aliéner leur souveraineté nationale, il serait téméraire de prétendre que l'Europe de demain sera fédérale, quand rien n'indique qu'elle s'engage dans cette voie.

Quoi qu'il en soit, le gouvernement du Québec ne croit pas opportun de proposer l'établissement d'une assemblée parlementaire, jugeant préférable que les membres du Conseil communautaire restent, politiquement, responsables devant le Parlement où ils siègent, — ce qui permettra au contrôle démocratique que nous connaissons de s'étendre, par ce biais, au fonctionnement de la Communauté Québec-Canada elle-même.

Si le reste du Canada proposait une assemblée interparlementaire, formée de membres choisis parmi les députés élus aux Parlements des États membres, le gouvernement du Québec n'aurait pas d'objection à examiner cette proposition.

La souveraineté-association: un moyen

L'esquisse que nous venons de tracer de la souveraineté-association ne rend pas compte, nous en sommes conscients, de toute la portée de cette formule par rapport à certains secteurs précis. C'est pourquoi, dans un autre chapitre, nous évoquerons les perspectives d'avenir qui, grâce à la souveraineté-association, s'ouvrent au Québec dans les domaines de la politique économique, culturelle et sociale, ou encore dans ses relations avec l'étranger.

Pour le moment, il importe de se rappeler que, si, du point de vue du gouvernement, la souveraineté-association est une formule d'avenir nécessaire, sa nécessité vient avant tout de ce qu'elle permettra aux Québécois et aux Québécoises de gérer librement leurs affaires et d'utiliser à leur gré les instruments dont elle les munira.

La souveraineté-association, en somme, n'est pas une fin en soi, mais un moyen.

Chapitre cinq
Le référendum

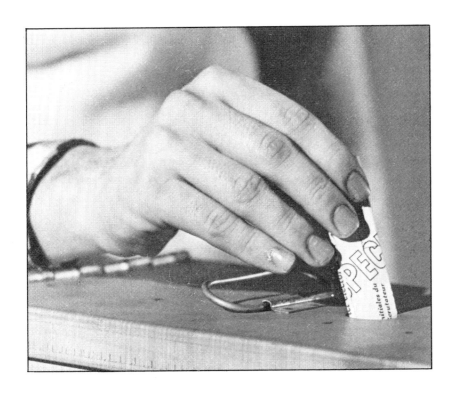

Chapitre cinq
Le référendum

Pour permettre à la population du Québec de se sortir de l'impasse constitutionnelle dans laquelle elle est enfermée, et qui la gêne de plus en plus dans sa liberté comme dans ses aspirations les plus légitimes, le gouvernement du Québec, qui vient de lui proposer, dans le chapitre précédent, une formule nouvelle, veut encore lui proposer une démarche différente, le RÉFÉRENDUM, dont nous examinerons maintenant la portée et la signification.

Dans leurs négociations avec Ottawa et avec les autres provinces, les chefs politiques du Québec se sont toujours présentés comme les fidèles porte-parole de leurs compatriotes. À en juger par les tendances électorales, les sondages et les études scientifiques, il semble, en effet, que les positions gouvernementales québécoises aient, dans le passé, reflété assez exactement celles de l'opinion publique, ce qui expliquerait la continuité qu'on a pu remarquer d'un gouvernement à l'autre.

Jamais, cependant, on n'a invité la population du Québec à se prononcer formellement, et en dehors de toute autre considération, sur une question constitutionnelle. Des campagnes électorales ont porté, en partie du moins, sur des thèmes fédéraux-provinciaux, mais personne n'a jamais pu faire, avec certitude, l'analyse des motivations des électeurs: s'étaient-ils prononcés sur un programme constitutionnel, une politique économique, ou laissé séduire par la personnalité d'un chef? Aussi était-il facile pour Ottawa—et ce l'est encore—de prétendre que les positions constitutionnelles du gouvernement québécois n'émanent point de la volonté populaire; par ailleurs, la présence, tant à la Chambre des Communes qu'à l'Assemblée nationale, de députés québécois élus par les mêmes citoyens permet de donner à un scrutin une interprétation—soit fédéraliste, soit autonomiste—que l'électeur, lui, n'a pas nécessairement songé à lui conférer.

Le grand intérêt du prochain référendum sera, justement, d'entendre, pour la première fois, les Québécois et les Québécoises se prononcer, après réflexion, et sans ambiguïté, sur une seule question: le genre de relation qu'ils voudraient voir s'instaurer entre le Québec et le reste du Canada.

A. La portée du référendum

La portée politique du référendum sera considérable: ce ne seront plus, désormais, les seuls membres du gouvernement ou de l'Opposition qui s'exprimeront dans le débat constitutionnel; la population entière y prendra une part active, si bien qu'il ne sera plus possible à Ottawa ou au reste du Canada d'affirmer que les positions québécoises sont uniquement celles d'un parti politique, quel qu'il soit, que le hasard électoral a temporairement porté au pouvoir.

C'est ainsi que le référendum, en faisant intervenir directement les citoyens dans un débat qui fut toujours la chasse gardée des hommes politiques, ajoutera au contentieux Québec-Ottawa un élément bien plus lourd de conséquences et bien plus décisif que tous les dossiers et les représentations, toutes les rencontres et les déclarations publiques qui, jusqu'ici, sont restés sans résultat; il y ajoutera la manifestation même de la volonté, démocratiquement exprimée, des Québécois et des Québécoises.

Tel est le but premier du référendum.

Les réactions d'Ottawa et des autres provinces, depuis 1976, ont clairement démontré combien profondément le recours à la technique référendaire modifiera les données et les conditions du débat politique canadien: on sait très bien que la réponse des Québécois au référendum ne pourra être simplement versée au dossier constitutionnel, comme une simple pièce qui irait en rejoindre des centaines d'autres; on saisit très bien, au contraire, l'importance décisive de cette démarche, et l'on n'ignore pas qu'il faudra absolument en tenir compte.

Conscients qu'une réponse positive, exprimée démocratiquement au vu et au su des autres nations, forcerait Ottawa et le reste du Canada à réagir tout aussi démocratiquement, les adversaires du référendum, pour éviter de se retrouver dans un tel embarras, s'emploient à convaincre les Québécois de l'inutilité d'une réponse affirmative, puisque, selon eux, le reste du Canada n'accepterait jamais de négocier la mise en oeuvre de la souveraineté-association.

De nombreuses personnalités, politiques ou autres, du Canada anglais affirment à qui veut les entendre leur refus catégorique de négocier. Cela est de bonne guerre, même si la tactique est un peu grosse. Il ne faut pas s'y laisser prendre, mais, au contraire, se convaincre que, devant un OUI majoritaire des Québécois au référendum, Ottawa et le reste du Canada, quoique déçus, n'auront pas le choix: ils négocieront.

La nécessité de négocier

Un sondage commandité par Radio-Canada et rendu public en mars 1979 révèle que 50% des personnes interrogées dans les neuf provinces anglophones estiment que le Canada anglais devrait accepter de négocier avec un Québec qui aurait majoritairement opté pour la souveraineté-association; 41% s'y opposent.

Une enquête de mai 1979, menée par l'Université York auprès des "decision makers" canadiens, pour le compte du Conseil de recherche en sciences sociales et humaines du Canada, révèle que les chefs de file canadiens s'entendent majoritairement pour dire que le reste du Canada devrait être prêt à négocier un accord économique avec un Québec souverain. Selon le rapport de l'enquête,

«(...) l'intensité du sentiment conciliatoire de la part des fonctionnaires et des leaders non gouvernementaux dans cette question de négociation d'un accord économique—plus particulièrement le consentement de la majorité des cadres et des grandes entreprises dont le rôle dans la résolution de cette question sera en fin de compte peut-être le plus important—laisse entendre que le processus de marchandage et d'accommodement sera peut-être plus souple que ne le laisse entendre le point de vue étroit de la rhétorique politique officielle.»

Selon cette enquête, en effet, 52% des cadres des grandes entreprises, 61% des maires et des conseillers municipaux, 68% des sous-ministres et sous-ministres adjoints fédéraux, 67% des sous-ministres provinciaux, 63% des chefs syndicaux, 67% des universitaires et, enfin, 59% du grand public déclarent que le Canada anglais «devrait être prêt à négocier un accord économique si le Québec devenait indépendant».

Il est donc important de faire une distinction bien nette entre, d'une part, les prises de position, antérieures au référendum, de certains chefs politiques canadiens-anglais en vue d'ébranler psychologiquement les Québécois, et, d'autre part, les choix qui seront faits par la suite, et qui devront tenir compte à la fois de la décision des Québécois et des intérêts en jeu de part et d'autre.

Quand ils ne pensent plus à la stratégie et qu'ils regardent la situation bien en face, les hommes politiques s'expriment tout autrement que ceux de leur collègues auxquels nous venons de faire allusion. C'est ainsi que M. David Crombie, ancien maire de Toronto et maintenant ministre fédéral, affirmait: «*Toute personne de la politique fédérale qui refuserait de négocier la Souveraineté-association avec le gouvernement du Québec serait une personne sotte ("silly").*»

(Presse Canadienne, La Presse, *2 janvier 1979)*

M. Crombie ne fut pas le seul à dire tout haut ce que pensent tout bas beaucoup de Canadiens anglais. Le premier ministre du Nouveau-Brunswick, M. Richard Hatfield,—même si, depuis, il a adopté une autre attitude,—tenait à la Presse canadienne, dans une dépêche publiée le 7 novembre 1977, les propos suivants:

«Il va nous falloir négocier si les Québécois se prononcent en faveur de la souveraineté-association. Le gouvernement fédéral, a-t-il ajouté, va devoir négocier un changement complet de la constitution.

Monsieur Hatfield a traité «d'initiative négative»(...) les déclarations d'hommes politiques canadiens à l'effet qu'il n'était pas question qu'ils acceptent une association économique avec un Québec souverain.»

Pour sa part, l'ancien premier ministre du Canada, M. P.-E. Trudeau, a déjà déclaré au réseau CTV:

«Si une écrasante majorité de Québécois décident qu'ils ne veulent plus faire partie de ce pays, je ne tenterai pas de leur faire changer d'idée par la force de la loi. Je dis qu'à ce moment-là, quelqu'un devra s'asseoir et négocier avec eux, mais ce ne sera pas moi.»

(Traduction)   **(The Gazette,** 3 janvier 1978)

Parlant dans le même sens devant les membres du Barreau de l'Ontario, le chef du Parti libéral de cette province, M. Stuart Smith, reconnaissait que:

«Des négociations devront obligatoirement être entamées si les Québécois votent OUI au référendum». Il ajoutait que *«quand une population affirme désirer son indépendance sous forme de référendum, nous ne pouvons que consentir à nous asseoir autour d'une même table pour parler.»*

(Traduction)   **(Presse canadienne,** 23 avril 1979)

Les membres de la Commission Pepin-Robarts, pour leur part, ont parcouru le Canada et recueilli les opinions des Canadiens dans toutes les régions. Ils s'expriment ainsi dans leur rapport:

«Il faut savoir, advenant qu'au cours des prochaines années les Québécois décident démocratiquement, de façon définitive, de se séparer, si leur décision doit être respectée par le reste du Canada. Nous répondons à cette question par un oui sans équivoque. Cette réponse s'impose comme un corollaire nécessaire de notre acceptation du processus démocratique.

Devant une communauté qui a la taille et les caractéristiques de la société québécoise, nous croyons que la volonté populaire, clairement exprimée, doit prévaloir. En termes pratiques, cela implique que l'on renonce à recourir à la contrainte pour préserver l'intégrité de l'État canadien et que l'on s'engage à créer des institutions politiques qui correspondent à la volonté et aux aspirations des citoyens concernés. Nous pensons que la plupart des Canadiens, de même que l'ensemble des chefs politiques du pays, partageront notre point de vue.»

(Rapport de la Commission, pp. 121-122)

Dans une entrevue au Téléjournal de Radio-Canada, le 26 janvier 1979, M. Jean-Luc Pepin répondait ainsi au reporter:

«*Question: Est-ce qu'elle accepte, la population du Canada, est-ce que les hommes politiques aussi acceptent de négocier si le Québec répondait OUI au référendum?*

J.-L. Pepin: Je pense que c'est impliqué, je pense que c'est très clair.»

Enfin, interviewé à Radio-Québec, le premier ministre, M. Jos Clark, s'exprimait dans les termes suivants:

«*Question: Monsieur le premier ministre, si la majorité des Québécois votent oui au référendum, oui à la souveraineté-association, vous allez être obligé de négocier avec le gouvernement du Québec?*

M. Clark: Je suis obligé de négocier avec le Québec aujourd'hui. Le fédéralisme, c'est la négociation. J'ai négocié avec le Québec et avec l'Ontario, c'est un travail constant pour un premier ministre.

Question: Donc, vous ne refuserez pas à négocier avec le gouvernement du Québec si le PQ obtient le oui massif au référendum.

M. Clark: Oui ou non, je serai là pour négocier.»

(Radio-Québec, 10 septembre 1979)

L'interdépendance Québec-Canada
Ces citoyens et ces personnalités du Canada sont réalistes: ils reconnaissent, entre autres choses, l'importance des liens économiques qui existent entre le Québec et le reste du Canada, et dont le maintien est de beaucoup préférable à une brisure et à un fractionnement des marchés. Or, le Québec propose justement le maintien de l'espace économique actuel, et non point sa rupture.

L'association économique, dont certains porte-parole du Canada anglais disent qu'elle sera nécessairement refusée, advenant un OUI au référendum, existe déjà dans ses lignes essentielles, comme nous l'avons expliqué, et le gouvernement du Québec ne la remet pas en cause. Ce qu'il propose, et avec fermeté, c'est d'en négocier les structures et les modes de décision. Dire, dans ces conditions, qu'il n'y aura pas d'association économique, cela revient à affirmer que le Canada anglais est prêt à se priver du marché québécois, qu'il se dotera d'une unité monétaire différente pour ne point partager celle du Québec, et que les Maritimes accepteront de voir se dresser une barrière douanière entre elles et l'Ontario! Ce serait, alors, le reste du Canada qui rejetterait les avantages de l'union économique.

Entre le Québec et le reste du Canada, les circuits financiers, les ressources et les productions sont largement complémentaires. L'économie du Canada a progressé à la faveur d'un marché, de réglementations intérieures et de tarifs douaniers communs. Sans tarif protecteur, en particulier vis-à-vis des États-Unis, l'assise industrielle du Canada, et notamment de l'Ontario, ne serait pas du tout ce qu'elle est aujourd'hui. Tout refus de maintenir cet acquis, toute tentative de briser cet espace économique et ce marché communs seraient contraires au bon sens comme aux intérêts vitaux des partenaires. C'est la conclusion à laquelle en arrivent les experts qui se sont penchés sur cette question; entre autres, M. Abraham Rotstein, de l'Université de Toronto, déclarait au Devoir que:

Il y a en Ontario pas moins de 105 800 emplois qui dépendent directement du marché québécois. Les entreprises ontariennes exportent annuellement au Québec pour $4,6 milliards de biens manufacturés (...). Jamais les syndicats et les entreprises de notre province ne prendront le risque de créer 105 800 chômeurs de plus en coupant les liens avec le Québec. D'ailleurs, ce sont les entreprises qui s'intéresseront le plus à une union monétaire avec le Québec. Elles feront tout pour éviter une dévaluation de la monnaie au Québec. Ceci réduirait considérablement la valeur des milliards qu'elles ont investis au Québec. (...)

À partir des données publiées en avril par le gouvernement de l'Ontario, il évalue à 9 000 le nombre de travailleurs dans les Maritimes qui tirent leurs revenus de ventes au Québec. Les Prairies vendent au Québec pour $432 millions de produits de consommation (surtout du boeuf qu'elles ne pourraient écouler ailleurs en Amérique), ce qui contribue au maintien de 10 000 emplois environ. Enfin, 3 000 personnes en Colombie-Britannique ont un travail relié à des exportations vers le Québec. En sens inverse, le nombre d'emplois au Québec est à peu près identique.

(Le Devoir, 19 décembre 1977**)**

Toutes les études publiées à ce jour sur les flux commerciaux entre les provinces canadiennes confirment cette imbrication et cette étroite complémentarité.

Dans un document portant sur l'emploi dans les échanges commerciaux interprovinciaux, déposé à l'occasion du discours du budget, le 19 avril 1977, le gouvernement de l'Ontario établit clairement l'importance, pour l'industrie ontarienne, de continuer à vendre ses produits sur les marchés québécois. On y lit notamment ceci:

«En Ontario, 105 000 emplois dépendent du commerce avec le Québec, soit près de la moitié des emplois du secteur manufacturier tourné vers les échanges interprovinciaux. Et si l'on compare les emplois créés au Québec par ses ventes à l'Ontario, les effets du commerce entre ces deux provinces, sur la création d'emplois, s'équilibre à toutes fins utiles.»
(Traduction)

Toutes ces études et analyses, faites tant au Québec qu'au Canada anglais, montrent clairement qu'il est de l'intérêt et du Québec et du Canada de maintenir l'espace économique actuel; et l'on ne voit pas pourquoi le Canada anglais déciderait de saborder une partie importante de son économie,—justement celle pour laquelle il a besoin du Québec.

Les risques du NON

Si les déclarations sur le refus éventuel de négocier ne sauraient, comme on vient de le voir, justifier une réponse négative au référendum, il convient quand même de se demander quelles seraient, pour l'avenir du Québec, les conséquences d'une telle réponse.

Avançant, inconsciemment peut-être, des arguments qui frisent l'incohérence, les mêmes personnes et les mêmes milieux qui, depuis dix ou vingt ans, se sont toujours opposés à la réalisation des objectifs constitutionnels du Québec à l'intérieur du régime actuel, en sont venus à soutenir qu'une réponse négative des Québécois au référendum donnerait le signal d'une réforme en profondeur du fédéralisme canadien!—En somme: «Dites NON et nous vous dirons OUI!»—Ceux-là mêmes qui n'ont jamais bougé devant les réclamations des Québécois, qui, peut-être même, n'y ont jamais porté attention, et qui, aujourd'hui, craignent par dessus tout un OUI au référendum; ceux-là qui, dans les faits, admettent qu'ils n'ont jamais été troublés dans leurs certitudes constitutionnelles que par l'élection au Québec, en novembre 1976, d'un parti souverainiste; ceux-là, unanimement, s'efforcent maintenant de persuader les Québécois qu'ils sont disposés à apporter des changements fondamentaux au fédéralisme,—mais à deux conditions: qu'on n'exige d'eux ni garantie formelle ni trop grande précision à cet égard; et que les Québécois renoncent définitivement à contester le régime actuel!

S'ils obtenaient le NON qu'ils désirent, Ottawa et le reste du Canada,—une certaine simplification et le soulagement aidant,—en concluraient inévitablement à la résignation tardive des Québécois, qui, adhérant sans exigences particulières au régime fédéral actuel, auraient finalement opté pour le statu quo. Cette réaction est d'autant plus vraisemblable que, au Québec, les partisans du NON n'auront pu s'entendre sur une formule concrète de «fédéralisme renouvelé».—Cette réorientation inespérée d'un Québec repenti, dans le sens depuis longtemps souhaité hors de chez nous, serait, pour les Québécois, un recul sans précédent, dont ils auraient beaucoup de mal à se remettre.

B. Le mandat référendaire
Point de transformation de la fédération actuelle sans l'adoption préalable, par les Québécois et les Québécoises, d'un cheminement qui leur soit propre: c'est avec cette conviction et dans cet esprit que le gouvernement du Québec entend soumettre ses

propositions au reste du Canada. Il sollicite, à cette fin, un mandat du peuple québécois.

Pourquoi un mandat?

Par leur réponse positive au référendum, les Québécois exprimeront leur désir d'en arriver, avec le reste du Canada, à une nouvelle entente politique, fondée, cette fois, sur l'égalité juridique des deux peuples. Un vote affirmatif des Québécois sera donc, dans les faits, un mandat confié au gouvernement du Québec de réaliser, par le moyen de négociations, cette nouvelle entente. Par son vote, le peuple québécois aura clairement fondé la négociation sur le principe de l'accession, en droit comme en fait, du Québec au statut d'État souverain, et de l'association avec le Canada. La souveraineté ne va pas sans l'association: elles sont indissociables. Certes, l'objectif ne sera pas atteint du jour au lendemain, mais un résultat positif, lors du référendum, permettra au Québec de s'engager sur la voie qui y conduit.

Si l'on veut bien se rappeler que la souveraineté-association, avant de devenir une réalité, exige un transfert massif au Québec de pouvoirs et de ressources en provenance d'Ottawa, qu'elle implique un réaménagement, global et complexe, des rapports traditionnels entre Québec et Ottawa, qu'elle ne se limite pas, par conséquent, à un simple changement juridique ou à un amendement, partiel et sans complications administratives, de la constitution, on comprendra que la souveraineté-association, comme nous l'avons déjà dit, est en fait l'aboutissement d'une démarche politique où la négociation jouera un rôle considérable. Aussi la question référendaire doit-elle toucher à la fois l'objectif ultime (une nouvelle entente) et le moyen d'y arriver (la négociation). Il ne saurait donc être question de proclamer unilatéralement la souveraineté au lendemain du référendum.

La négociation Québec-Canada

Une fois le mandat obtenu, avec qui le Québec négociera-t-il? Avec Ottawa seul? Avec les autres provinces? Ou avec des représentants de tous ces gouvernements?

Et sous quelle direction ces gouvernements négocie-raient-ils?

Il se peut qu'Ottawa veuille prendre la direction de la négociation, quitte à inclure des observateurs provinciaux parmi les négociateurs, comme il l'a fait en 1965, année où le Québec, seul parmi toutes les provinces, se retira d'un grand nombre de programmes conjoints.

Il serait surprenant que cette formule fût retenue aujourd'hui: vu l'objet fort considérable de la négociation, plusieurs provinces, sinon toutes, voudront établir officiellement, auprès d'Ottawa, leur statut de partenaires à part entière. Loin de s'opposer à une formule de ce genre, le Québec croit qu'elle pourrait permettre une meilleure discussion et éviter des malentendus. Dans cette hypothèse, il ne serait pas étonnant qu'Ottawa voulût conserver, par rapport au reste du Canada, un rôle général, et peut-être même déterminant, de coordonnateur. Le Québec, pour sa part, juge la présence fédérale essentielle, à cause des pouvoirs et des ressources que doit lui transférer le gouvernement central.

La démarche

Le gouvernement du Québec a toujours cru que, pour réaliser le changement constitutionnel ordonné et démocratique qu'il propose, il faudra y mettre le temps. La transformation du fédéralisme actuel en une association entre États souverains ne pourra se faire que par étapes successives. La démarche proposée comprend donc quatre grandes phases:
- une phase de réflexion
- une phase référendaire
- une phase de négociations
- une phase de réalisation

a) une phase de réflexion

La publication du présent document constitue une étape déterminante de la phase de réflexion, de discussion et de consultation à laquelle sont conviés tous les citoyens, de façon qu'ils sachent vraiment sur quoi ils auront à se prononcer. Au cours des mois qui viennent, tous les intéressés (partis politiques, associations, groupes, citoyens) auront amplement le temps de prendre connaissance de la position du gouvernement, de l'évaluer, de la discuter et de s'en faire une idée précise.

Cette phase devrait également permettre à ceux qui sont contre le changement proposé de définir comment, quant à eux, ils envisagent l'avenir du fédéralisme canadien, car il est important que les Québécois, quand ils auront à se prononcer, aient une idée juste des choix offerts. Il faut souhaiter, à cet égard, que les positions fédéralistes soient précises, et dévoilées assez tôt pour que les Québécois aient tout le loisir d'y réfléchir.

b) une phase référendaire

Après cette période de réflexion et de discussion générale, on entrera dans la phase proprement référendaire, dont les grandes étapes sont déjà fixées par la Loi sur la consultation populaire de juin 1978. Vers le début du mois de février 1980, l'Assemblée nationale devrait normalement entreprendre la discussion—limitée par la loi à trente-cinq heures—d'une motion du premier ministre proposant l'adoption du texte de la question à soumettre aux électeurs. Le texte de la question proposée, comme s'y est engagé le gouvernement, sera dévoilé avant la fin de la présente année, de façon que personne ne soit pris par surprise au moment du débat, à la fin duquel il sera adopté.

La formulation finale de cette question dépendra en partie de la période de réflexion et de discussion des prochains mois, mais on peut dès maintenant affirmer que, quant à sa substance, elle portera sur le projet du gouvernement. Cette question sera claire, et on pourra y répondre par un «oui» ou par un «non»—comme le gouvernement s'y est engagé.

Une fois la question approuvée, la loi prévoit un délai minimum de vingt jours avant l'émission des brefs référendaires. Cette période, qui peut être allongée, permettra aux comités nationaux du «oui» et du «non» de se former officiellement. Quant aux brefs eux-mêmes, on prévoit qu'ils seront émis vers avril ou mai, de façon que le scrutin puisse avoir lieu en mai ou en juin 1980.

c) une phase de négociations

À la suite d'une réponse positive au référendum, il y aura une période de négociations avec Ottawa et le reste du Canada.—Le Québec disposera alors d'un pouvoir sans précédent, appuyé, pour la première fois, sur la volonté, clairement exprimée, de la population québécoise.—Ces négociations devront d'abord porter sur le rapatriement au Québec des pouvoirs exercés par le Parlement fédéral et sur le transfert des ressources correspondantes.

Les négociations porteront aussi sur la nature de l'association Québec-Canada, son contenu (les pouvoirs mis en commun), ses institutions, les règles de son fonctionnement, et son financement; on abordera également les questions relatives au territoire, à la protection des minorités, à la citoyenneté, au transfert des fonctionnaires fédéraux, aux forces armées, etc.

Quant au partage de l'actif et des dettes du Canada et du Québec, il faudra en arrêter les principes généraux, quitte à en reporter l'exécution détaillée à une phase ultérieure. Le Québec deviendra propriétaire des installations et biens fédéraux situés au Québec; les Québécois, en revanche, renonceront à leur droit de propriété sur les installations et biens fédéraux situés à l'extérieur du Québec, auxquels ils ont contribué par leurs impôts. (Selon les évaluations récentes, moins de 20% de l'actif du gouvernement fédéral et de ses sociétés se trouve au Québec: la valeur de l'échange pourra être calculée en tenant compte de ce fait.)—Pour le partage de la dette, on suivra les mêmes règles que pour le partage de l'actif.

Il y aura donc trois ou quatre «tables» de négociation: pour le transfert des pouvoirs et des ressources, pour l'association et les questions connexes, pour l'actif et les dettes. Ces «tables» pourront siéger simultanément. Il se peut que les questions relatives au transfert des pouvoirs et des ressources soient résolues plus rapidement que les autres, vu l'existence de nombreux dossiers sur ces questions et la longue expérience des parties en présence.

Quoi qu'il en soit, toutes ces négociations conduiront à la préparation d'un traité d'association créant la Communauté Québec-Canada.

Une fois conclus les accords avec le reste du Canada, le gouvernement du Québec s'engage à les soumettre à l'approbation de l'Assemblée nationale. Il faudra aussi prendre, de concert avec le Canada, les mesures voulues pour donner une suite juridique à ces accords, en ap-

portant les amendements nécessaires aux textes constitutionnels actuels.

d) une phase de réalisation

L'Assemblée nationale pourra ensuite légiférer pour
ajuster les lois fédérales à la réalité nouvelle. Plusieurs
lois fédérales resteront en vigueur, en tant que lois
québécoises, mais certaines adaptations s'imposeront,
afin, notamment, de déterminer les autorités chargées de
leur exécution.

Il faudra également s'assurer que, pendant la période de
transfert des pouvoirs, la population n'ait pas à souffrir
d'une diminution quelconque des services gouvernementaux. On devra planifier la transition au cours de la
phase précédente, de manière à éviter toute perturbation
dans le fonctionnement de l'administration. Il faudra,
pour cela, s'entendre sur le calendrier des transferts et
mettre graduellement en place les divers services.

Les droits acquis

Désireux que les individus ne soient pas lésés, dans
leurs droits, par ce changement constitutionnel, le
gouvernement du Québec s'engage à maintenir les droits
acquis individuels,—allocations, pensions, services ou
emplois,—et notamment:

a) les allocations familiales
b) les pensions de vieillesse et leur supplément
c) les pensions aux vétérans
d) les subventions directes aux producteurs agricoles
e) la sécurité d'emploi des fonctionnaires fédéraux et
   des employés québécois des sociétés d'État
   fédérales
f) tous les autres droits découlant de circonstances
   actuellement reconnues

Le gouvernement garantit également aux fonctionnaires
fédéraux, s'ils résident au Québec et en expriment le
désir, l'intégration à la fonction publique québécoise
sans préjudice financier, au fur et à mesure que s'ef-
fectuera, d'Ottawa vers Québec, le transfert des
compétences et des ressources. Ainsi, l'échelle de leurs
traitements et de leurs avantages sociaux acquis sera
maintenue. Le cas échéant, une indemnité de

déménagement leur sera accordée. Le transfert de leur fonds de pension sera négocié avec le Canada, en élargissant la portée de l'accord qui existe déjà à ce sujet; il en sera de même pour les droits des retraités.

Le maintien ou la création dans la région de Hull d'un nombre considérable d'emplois, dans des organismes publics appropriés, permettra aux fonctionnaires fédéraux de cette région de continuer d'y travailler. Quant aux membres québécois des forces armées, ils seront intégrés dans les unités québécoises, suivant les termes du traité d'association.

Y mettre le temps

La démarche qu'entreprend le gouvernement du Québec, avec la publication du présent document, ne pourra être achevée,—on s'en rend compte,—avant quelques années. Il est nécessaire d'y mettre le temps, si l'on veut à la fois progresser avec méthode et respecter intégralement les principes démocratiques qui animent notre société.

Chapitre six
Québec, terre d'avenir

Chapitre six
Québec, terre d'avenir

Dans un des documents marquants de notre époque, le Club de Rome identifiait clairement les conditions indispensables au progrès des sociétés modernes: selon ce prestigieux organisme, l'avenir appartient aux pays dont la population est jeune et instruite, qui disposent de richesses naturelles importantes, et qui se spécialisent dans les échanges internationaux.

Or, nous avons, au Québec, les ressources, le talent et le savoir qui nous permettent d'assumer, en toute sérénité, la maîtrise de nos affaires et de relever les défis de notre croissance générale, notamment dans le domaine économique. Nos atouts, à cet égard, peuvent même être qualifiés d'exceptionnels.

Pour quelle raison, dès lors, nous contenterions-nous d'un statut politique inférieur?

Une nation jeune, compétente, instruite

Nous sommes un pays jeune et instruit: en moins d'une génération, nous avons complètement transformé notre système d'éducation; parmi les moins instruits il y a vingt ans, nous avons rejoint le peloton de tête des pays industrialisés. Aujourd'hui, nos diplômés sortent par milliers des collèges et des universités.

Notre main-d'oeuvre est compétente et efficace: quelques études ont démontré que le travailleur québécois apporte souvent au travail plus de fierté et d'application que ses confrères nord-américains.

Dans le domaine technique et scientifique, le Québec, grâce à ses laboratoires et à ses centres de recherche, a fait des pas de géant. Par ailleurs, plusieurs de nos entreprises d'ingénierie-conseil ont acquis leurs lettres de noblesse: trois des dix plus grandes sociétés mondiales sont québécoises!

Depuis quelques années, le dynamisme de nos régions et la naissance de nombreuses entreprises ont fait mentir le vieux cliché sur le peu d'esprit d'entreprise des Québécois; et, de plus en plus, nos entreprises acceptent de se regrouper pour mieux contribuer à l'expansion de notre économie.

Reconnus, du reste, pour leur sens de l'économie, les Québécois, grâce à leurs épargnes, disposent maintenant de capitaux considérables: l'extraordinaire succès de nos coopératives d'épargne et de crédit, comme aussi de nos compagnies d'assurance, en est la preuve éloquente; les Caisses populaires Desjardins et les Caisses d'économie comptent plus de quatre millions de membres et ont un actif de plus de $10 milliards; en douze ans, l'actif total des caisses d'entraide économique a passé de moins d'un million à plus d'un milliard. Par ailleurs, la création d'un régime universel de retraite nous a permis d'accroître sensiblement notre épargne collective: la Caisse de dépôt et de placement du Québec se classe maintenant au premier rang des sociétés de placement du Canada, pour la taille et la diversité de son portefeuille. De son côté, Hydro-Québec, par l'importance de son actif, est la plus grande entreprise, de toutes catégories, au Canada, et l'une des plus grandes entreprises de production et de distribution d'électricité en Amérique.

Déjà, nous sommes un pays riche. Notre produit intérieur brut par habitant, en 1978, plaçait le Québec au quatorzième rang [1] des quelque 150 pays du monde. Cette situation n'est ni le fruit du hasard, ni la conséquence de quelque régime politique ou de quelque contribution magnanime de l'extérieur; notre niveau de vie dépend essentiellement des richesses que recèle notre territoire, de notre situation géographique avantageuse, à proximité de riches marchés, et de l'environnement nord-américain, fort stimulant.

Et notre pays est vaste: par son étendue, le Québec se classe au seizième rang des quelque 150 pays du monde. Il ne compte, il est vrai, que six millions d'habitants, mais le niveau de vie n'a guère de rapport avec l'importance numérique d'une population. Si certains pays populeux, tels les États-Unis, la France et la République fédérale d'Allemagne, jouissent de niveaux de vie élevés, il est

---

(1) Source: OCDE, les principaux indicateurs économiques, avril 1979. Ces comparaisons sont fondées sur le PIB/per capita national, exprimé en dollars américains.

frappant—et utile—de noter que cinq des six pays les plus riches du monde ont une population de moins de dix millions d'habitants, et partant comparable à celle du Québec: la Suisse, le Danemark, la Suède, la Norvège et la Belgique. En revanche, les pays les plus populeux sont souvent parmi les plus pauvres.

Des richesses naturelles abondantes

Peu de pays occidentaux possèdent autant de richesses naturelles que le Québec. Plusieurs de nos percées, dans le domaine industriel, sont le résultat direct de la présence, sur notre territoire, d'abondantes matières premières, que, de plus en plus, nous transformons nous-mêmes: pâtes et papiers, métaux primaires et produits métalliques, équipements électriques, et bientôt l'amiante, notamment. Notre potentiel électrique nous permet, en outre, de produire chez nous des quantités très considérables d'aluminium, par exemple, dont nous importons la matière première. Toute cette activité industrielle, dont la rentabilité est assurée par l'abondance sur notre sol de ressources à un prix concurrentiel, constitue en quelque sorte la pierre angulaire de notre croissance, passée et future. Si, à travers le monde, la rareté grandissante des ressources naturelles risque de freiner l'expansion de plusieurs nations, le Québec, quant à lui, ne pourra que tirer parti d'une conjoncture qui tend à valoriser chaque jour un peu plus les ressources fondamentales.

Un changement de statut politique, pour le Québec, ne modifiera pas les lois du commerce. En entrant d'égal à égal dans la nouvelle communauté économique canadienne, le Québec ne s'appauvrira pas, non plus qu'il n'appauvrira le reste du Canada, qui possède lui aussi de grandes richesses, puisque l'espace économique canadien actuel sera maintenu. Prenant en main sa propre orientation économique, le Québec pourra, au contraire, contribuer plus activement au progrès de la communauté économique. Comme par le passé, bien sûr, les Québécois ne pourront pas aller se servir à même les richesses naturelles des autres provinces: le bois de la Colombie-Britannique, la potasse de la Saskatchewan, le pétrole de l'Alberta, l'amiante et l'électricité du Québec appartiennent respectivement aux habitants de ces provinces. Mais les richesses naturelles sont des marchandises: elles se vendent et s'achètent, au Canada comme partout ailleurs. Or, de toutes les provinces canadiennes, le Québec est l'une des mieux pourvues à cet égard.

Un atout majeur: l'énergie hydro-électrique

Cela est d'autant plus vrai que, parmi ses ressources naturelles, le Québec possède l'énergie hydro-électrique,—de loin son meilleur atout. Dans une conjoncture économique perturbée par la diminution des sources d'énergie, le Québec dispose d'une solution de rechange devant, par exemple, la rareté et les coûts croissants du pétrole: d'ici quelques années, en effet, l'hydro-électricité lui permettra de répondre, d'une façon autonome, à près de 40% de ses besoins énergétiques.

Déjà, nos aménagements hydro-électriques nous permettent de produire 15 000 mégawatts, à quoi s'en ajouteront bientôt 10 000 autres. Réalisation impressionnante, si l'on considère que, au moyen de centrales thermiques conventionnelles, il faudrait quotidiennement 700 000 barils de pétrole pour obtenir un égal rendement. Or, 700 000 barils par jour, c'est la moitié de la production de l'Alberta! Plus impressionnant encore: il nous reste au moins autant de mégawatts à mettre en valeur, soit 25 000!

Vu l'importance pour l'industrie d'un approvisionnement énergétique sur lequel elle peut compter à long terme, le Québec jouit d'un avantage considérable, grâce à l'électricité, cette ressource indéfiniment renouvelable: dans vingt-cinq ans, la plupart des puits de pétrole existant actuellement seront à sec; nos rivières, elles, couleront toujours.

À partir de 1983, selon l'Office National de l'Énergie, l'épuisement des ressources albertaines se traduira par la diminution graduelle, jusqu'à leur cessation complète, des arrivages à Montréal du pétrole de l'Ouest canadien. En outre, et à la suite des hausses décidées par le gouvernement fédéral, le prix du brut, au Canada, aura atteint, vers 1983 également, le prix international. Ainsi prendra fin le système temporaire de subvention au pétrole importé, qui permit au gouvernement fédéral d'assigner au pétrole, dans l'ensemble du Canada, un prix inférieur au prix mondial.

Pour le Québec, cela signifie que, dans quelques années, il retournera à la situation d'avant 1976: le pétrole brut traité dans ses raffineries proviendra entièrement des marchés mondiaux et, d'où qu'il vienne, son prix sera partout le même: au Québec, au Canada et dans les autres pays. En cela, la situation du Québec ne sera pas différente de celle de l'Ontario ou de la plupart des pays industrialisés, notamment les plus riches d'entre eux: la Suisse, la Suède, le Danemark et l'Allemagne, qui ne produisent pas de pétrole.

Les instruments de notre croissance

C'est à notre propre initiative et aux ressources de notre territoire que nous devons nos progrès, nos institutions et les instruments de croissance que nous nous sommes donnés. Le rapatriement au Québec de la totalité des impôts et des pouvoirs législatif et exécutif supprimera, une fois pour toutes, les entraves et les conditionnements qui ont freiné notre expansion économique, sociale et culturelle; le rapatriement de tous nos moyens d'action imprimera une impulsion nouvelle à toutes nos activités et, surtout, il nous donnera un sentiment de sécurité inconnu jusqu'ici. Maîtrisant notre vie collective, gérant nos ressources, fixant nos objectifs et notre ordre de priorité propres, nous nous donnerons nous-mêmes les budgets et les moyens, et choisirons nous-mêmes les méthodes les plus appropriées pour répondre à nos aspirations et conduire, d'une façon responsable, notre existence de peuple libre et fier.

Une économie prospère

Les ressources dont dispose le Québec sont permanentes: nous ne les devons ni à un régime politique, ni à des circonstances particulières. Elles sont un don de la nature, qui nous a choyés plus que d'autres, à cet égard, en nous permettant d'accroître notre rôle économique, grâce à nos richesses renouvelables, au moment où d'autres pays voient décliner le leur.

Nos ressources, il s'agit maintenant de les mettre pleinement en valeur, et notre potentiel économique, de le transformer comme jamais en une réalité. Le gouvernement du Québec y parviendra, avec l'aide des Québécois et des Québécoises, par l'acquisition, d'abord, du pouvoir exclusif d'intervenir dans des secteurs aussi fondamentaux que l'aide aux entreprises, le transport et la fiscalité; de réglementer la tarification; de fixer les normes industrielles et de gérer l'accès aux ressources énergétiques; il y parviendra aussi par sa capacité accrue de s'associer directement au secteur privé, de conclure des ententes dans le secteur industriel et de collaborer directement au soutien des entreprises québécoises sur les marchés étrangers.

Maîtrisant pour la première fois l'ensemble des impôts, le gouvernement pourra accorder à nos entreprises une politique fiscale adaptée à leurs besoins, favoriser l'expansion de nos petites et moyennes entreprises, encourager l'établissement, le cas échéant, de grands ensembles industriels québécois, et, de surcroît, consacrer plusieurs centaines de millions supplémentaires à l'achat de produits québécois,—alors que les trois quarts de la fiscalité des entreprises dépendent actuellement d'Ottawa, et que les dépenses créatrices d'emplois faites par le gouvernement fédéral sont, per capita, moins élevées au Québec que dans les autres provinces.

En outre, le gouvernement du Québec aura le moyen d'aider nos entreprises à tirer plus grand profit des échanges internationaux.

La fixation des tarifs sur les produits étrangers, la détermination des barrières non tarifaires, les négociations avec l'organisation internationale chargée de surveiller les règles du commerce international, le GATT, ne se feront plus sans la participation du Québec. Par le biais d'organismes communautaires, Québec deviendra un associé à part entière d'Ottawa et aura son mot à dire dans toutes les discussions relatives aux échanges avec l'extérieur.

De même, le Québec sera en mesure de mieux soutenir à l'étranger l'action de ses sociétés et de promouvoir directement ses exportations.

Dans le domaine agricole, le gouvernement pourra plus facilement poursuivre une politique visant à diversifier la production: à cette fin, il mettra un terme à la spécialisation, imposée par Ottawa, dans des secteurs,—comme celui du lait industriel,—où les possibilités d'expansion sont limitées. La stratégie adoptée par le gouvernement aura pour objectif l'utilisation optimale de toutes nos ressources agricoles et une autosuffisance accrue, grâce à un seul système de crédit agricole, à une seule politique de mise en marché, et à un seul régime de stabilisation des revenus, parfaitement adapté à la ferme familiale québécoise.

Quant aux transports, domaine où nous n'avons presque aucune influence, nous pourrons enfin nous donner une politique qui nous permette de recueillir les avantages de notre situation géographique. Nous accorderons une attention particulière aux échanges naturels (Nord-Sud) avec les États-Unis et redonnerons à Montréal sa vocation de plaque tournante des systèmes de chemin de fer, d'aviation, de cabotage et de navigation océanique. Nous pourrons encore mettre fin aux disparités du tarif ferroviaire, défavorable aux usagers du Québec, envisager de créer notre marine marchande, donner une impulsion nouvelle aux ports du Saint-Laurent, et négocier avec le Canada et les États-Unis un tarif moins discriminatoire pour l'utilisation de la Voie maritime.

Ayant enfin accès direct à une banque centrale, le gouvernement du Québec pourra profiter des avantages que procure une telle institution, comme le partage des profits et l'achat d'une partie des obligations. Par ailleurs, les titres du gouvernement du Québec pourront faire partie des réserves de liquidité des banques à charte opérant au Québec. Bref, disposant d'une marge financière accrue, le gouvernement du Québec pourra s'en servir dans les meilleurs intérêts des Québécois et des Québécoises.

En outre, étant membre de l'Autorité monétaire, nous pourrons participer, pour la première fois, à une orientation monétaire commune et faire en sorte qu'elle tienne compte tout autant des différences entre les cycles économiques des diverses régions que de la conjoncture économique générale du Québec.

Notre progrès social

Dans le domaine social, une fois éliminée la double action gouvernementale actuelle, coûteuse et souvent contradictoire, le Québec, disposant de tous ses impôts, pourra répartir avec plus d'équité les fruits de la croissance économique, de façon, en particulier, à améliorer le sort de ses citoyens les plus démunis.

Le gouvernement, on le sait, a déjà pris l'engagement de maintenir les droits acquis des personnes auxquelles, lors du transfert des pouvoirs, seront versés des allocations, pensions et suppléments d'origine fédérale. Il sera possible, néanmoins, en respectant scrupuleusement cet engagement, d'harmoniser les programmes hérités du fédéral avec ceux que le Québec administre déjà, en vue de l'instauration d'un régime cohérent de sécurité du revenu. Au reste, la création d'un programme de supplément au revenu du travail, en 1979, a démontré à quel point le gouvernement du Québec est décidé d'avancer dans cette direction. Or, la récupération de tous nos impôts devrait lui permettre d'accélérer la mise en oeuvre d'un régime complet de revenu garanti pour tous les Québécois.

Entre autres avantages, le régime intégré de revenu permettra aux personnes âgées dont les revenus sont actuellement insuffisants de vivre décemment. Le nombre des personnes âgées devant presque doubler d'ici la fin du siècle, il faut dès maintenant se préparer à cette profonde mutation sociale.

La participation des femmes à la croissance économique et la mise en vigueur de réformes et de mesures, destinées à leur assurer l'égalité réelle qu'elles revendiquent si légitimement, seront au coeur même du projet social et du devenir collectif. Cette dimension capitale du progrès québécois sera une des composantes du régime de sécurité du revenu et de la politique d'emploi que devra se donner le Québec.

La politique de sécurité du revenu sera complétée, en effet, par une politique d'emploi et de main-d'oeuvre qui réponde vraiment à nos besoins. Jusqu'ici, en ce domaine, l'un des grands objectifs de la politique fédérale fut de faciliter la mobilité d'une province à l'autre, de façon à accroître les effets de ses mesures visant à favoriser la croissance de l'Ouest et de l'Ontario. Parce que les Québécois sont plutôt sédentaires, toutefois, et, en tout cas, moins intéressés que d'autres à s'installer ailleurs au Canada, ces programmes fédéraux n'ont guère eu d'effet sur notre taux de chômage.

Il sera possible—ce ne l'est pas encore!—d'établir un lien beaucoup plus étroit entre les besoins du marché du travail, d'une part, et la formation professionnelle des jeunes et des adultes, et, la réinsertion des assistés sociaux, d'autre part. Éducation, formation professionnelle, main-d'oeuvre, réinsertion sociale, placement et mobilité sont, en effet, autant de facettes d'une même réalité: une fois placées sous une seule autorité, il sera possible d'espérer une politique intégrée et efficace de mise en valeur de nos ressources humaines.

Enfin, la récupération de tous les pouvoirs en matière de mariage, de divorce et de tribunaux nous permettra d'établir un véritable tribunal de la famille, de moderniser notre droit familial et de reconnaître à tous égards l'égalité de la femme québécoise.

Notre épanouissement culturel

Déjà, le gouvernement du Québec exerce une influence certaine sur la mise en valeur de notre héritage culturel. Mais il manque de moyens, et doit très souvent composer avec Ottawa, qui dirige des programmes parallèles aux siens. Tout un secteur, même, parmi les plus importants, échappe entièrement au Québec: celui de la radio-télédiffusion et des télécommunications.

C'est une vérité élémentaire, pourtant, que seuls les Québécois pourront assurer l'épanouissement de leur culture. Ce sont nos gens qui, jusqu'à maintenant, ont assuré le progrès de notre enseignement et de nos arts, de notre folklore et de notre artisanat, de notre architecture et, en général, de notre production culturelle. Il serait donc naturel que l'encouragement, le stimulant, l'appui leur vînt du gouvernement du Québec, comme le souhaitent d'ailleurs, et depuis longtemps, la grande majorité de nos artistes, artisans, créateurs et chercheurs.

Comme le notait le gouvernement dans le Livre blanc, consacré à la culture, qu'il publiait l'an dernier, «il y a une politique culturelle qui est interdite à une **province**, que seul un **pays** peut se permettre». Aussi, l'expansion de la câblo-distribution et des moyens de communication communautaires, la mise sur pied d'un réseau de télé-informatique, la politique du cinéma et du livre, les programmes d'aide aux industries culturelles cons-titueront-ils comme autant de volets de l'action, à la fois cohérente et soutenue, du gouvernement du Québec, qui y consacrera une portion suffisante de ses ressources financières.

Le Québec verra encore à conserver ses biens culturels, à rénover et à mettre en valeur son héritage selon un ordre de priorité bien établi, et à se donner les musées prestigieux et divers nécessaires à son dynamisme culturel. Les sports, les parcs et les loisirs relevant ex-clusivement de la juridiction québécoise, rien n'em-pêchera plus nos fédérations sportives de prendre leur essor, nos parcs de rentrer dans le patrimoine québécois, et nos citoyens de s'y sentir chez eux.

Il n'y aura plus, enfin, qu'une seule politique, entièrement intégrée, dans le vaste champ de l'enseignement, lequel articulera à la politique de la main-d'oeuvre chacun des secteurs suivants: éducation postsecondaire, en-seignement des langues secondes, éducation des adultes, formation professionnelle et recherche universitaire.

Le respect de la diversité culturelle et des libertés

Au cours des ans, et par suite de l'apport d'autres citoyens de langues et de religions différentes, la société québécoise, longtemps très homogène, s'est beaucoup diversifiée: en font partie les Québécois de langue anglaise et ceux qui, de toutes origines, participent, avec leurs compatriotes francophones, à la construction du Québec.

L'accès à la souveraineté ne modifiera en rien la politique que le Québec a toujours mise en oeuvre à l'égard des diverses communautés culturelles qui vivent sur son territoire, et qui sont comme un miroir de ce que notre planète recèle de richesses culturelles variées. Il est de l'intérêt de ces communautés, comme de celui du Québec, qu'elles affirment et mettent en valeur cette part d'elles-mêmes qui constitue l'essentiel de leur culture. Aussi le gouvernement du Québec se fera-t-il un devoir de mettre à leur disposition des équipements collectifs et des instruments culturels qui leur permettent de faire valoir elles-mêmes leur héritage culturel. Ces diverses communautés enrichissent le Québec, et le Québec leur offre un milieu idéal où vivre et s'épanouir dans le sens de leurs aspirations propres.

Le Québec, du reste, a déjà inscrit dans sa Charte des droits et libertés de la personne des droits fondamentaux qui dépassent ceux mêmes qui sont reconnus par la Déclaration universelle des droits de l'homme. Il continuera, dans cette voie, à respecter la liberté religieuse, la liberté de vote, les libertés syndicales, les droits de l'individu à sa vie privée, à la possession de ses biens et à sa réputation, de même que les droits des citoyens devant la police et les tribunaux.

Quant aux francophones vivant hors-Québec, le gouvernement tient à les assurer de la solidarité et de l'appui des Québécois. Associé d'égal à égal avec le reste du Canada, le Québec pourra accroître l'aide financière et technique qu'il leur accorde déjà, et faciliter, à ceux qui pourraient le désirer, l'établissement sur son territoire. De plus, la signature d'accords de réciprocité, qui les ferait bénéficier des mêmes avantages dont jouissent actuellement les Québécois anglophones, pourrait épargner à plusieurs d'entre eux l'assimilation que, dans leur situation actuelle, ils redoutent à bon droit.

L'ouverture sur le monde

Même si, à l'heure actuelle, le Québec est à peu près absent de la scène internationale, et que sauf exceptions comme dans le cas de la France, il ne peut entretenir de relations directes avec d'autres États, il a su, depuis maintenant plusieurs années, ouvrir des brèches dans les frontières à l'intérieur desquelles Ottawa le confinait. Que ce soit dans les domaines économique, social, culturel ou politique, il a amorcé son dialogue avec le monde. Une nouvelle entente avec le Canada permettrait au Québec souverain d'établir librement avec ses voisins, proches ou lointains, des rapports aussi nombreux que féconds.

Si les relations étroites que le Québec entend conserver avec le reste du Canada s'inscrivent dans la réalité géographique et tiennent compte de facteurs à la fois historiques, stratégiques et économiques, il en va de même à l'égard des autres partenaires privilégiés qu'il entend choisir: les États-Unis et la France, puis, à un autre niveau, les pays membres de la Communauté européenne, le Japon et certains pays francophones d'Afrique. Quant à ses relations avec d'autres États, elles résulteront de l'identification d'intérêts communs qui, déjà, nous font nous tourner vers certains pays latino-américains, comme le Mexique, le Venezuela et la Colombie, ou certains pays arabes, comme l'Algérie et l'Arabie Saoudite, et, à plus longue échéance, vers de grands pays, comme la Chine, qui ont des besoins particuliers à satisfaire.

La politique étrangère du Québec sera fondée sur les grands principes qui régissent les relations entre peuples—droits de l'homme, règlement pacifique des différends, refus de recourir à la force, non-ingérence, etc.,—tels qu'ils sont énoncés dans la Charte des Nations-Unies et repris dans l'Acte final d'Helsinki. En plus de satisfaire ses besoins particuliers et de défendre ses intérêts propres, le Québec entend assumer sa modeste part dans l'établissement d'un nouvel ordre mondial, dans les domaines tant économique que stratégique et politique. Ce qui n'exclut pas que, dans le cadre du traité d'association, le Québec, s'il le désire, mette en commun avec le Canada l'exercice de certaines de ses responsabilités envers les pays étrangers.

La défense

La politique de défense du Québec s'articulera autour de trois préoccupations: sa sécurité intérieure, la sécurité du continent nord-américain et de l'Occident, et sa participation aux missions de paix ou d'arbitrage de l'ONU.

Si l'évolution technologique a pour effet d'abolir plusieurs servitudes géographiques, le Québec continue néanmoins d'occuper une place stratégique, au sein de NORAD, dans la mesure où son territoire contrôle des voies aériennes qui, de l'Arctique ou de l'Atlantique-

Nord, débouchent sur la côte est du continent. C'est pourquoi le Québec entend remplir ses engagements envers NORAD.

Quant à l'apport du Québec à la sécurité collective par sa participation à l'OTAN, il se justifie par le fait que l'avenir du Québec est lié au sort des démocraties européennes et américaines, — sans compter que l'Alliance atlantique, au-delà de sa vocation militaire, favorise, dans plusieurs domaines, les échanges internationaux.

Tout cela n'impliquera, en termes d'obligations, que le maintien des installations de défense qui se trouvent au Québec, de même que la préservation, dans ce secteur, des emplois militaires et civils de quelques milliers de Québécois. L'objectif du Québec sera, cependant, d'accroître la part des budgets d'équipements et de fournitures qui est dépensée chez nous, tout en tentant d'économiser une portion des sommes importantes que nous coûte annuellement la Défense fédérale.

Dans ces conditions, le Québec pourra, tout en jouant son rôle en Amérique et au sein de l'Alliance atlantique, assumer la direction de ses relations extérieures, occuper la place qui lui revient dans le concert des nations, et profiter des échanges internationaux pour accélérer son enrichissement collectif. En revanche, le Québec devra contribuer au progrès des autres pays, et surtout des plus démunis.

La coopération

Le Québec ne saurait, en effet, être insensible à l'évolution du dialogue entre les pays du Nord et du Sud, d'autant que, pour une bonne part, la structure de ses exportations repose sur un ensemble relativement restreint de produits dirigés vers les pays développés, et que la part de ses exportations vers les pays en voie de développement est demeurée, au cours des dernières années, relativement peu élevée (de 10 à 12%). Ces échanges devront donc être accrus.

Heureusement, le Québec possède déjà, dans l'aide directe aux pays en voie de développement, une tradition qui remonte à plusieurs décennies. Dans les secteurs de l'éducation et de la santé, en particulier, c'est par milliers qu'il a envoyé des missionnaires, — hommes et femmes,—en Afrique, en Asie et en Amérique latine. Cet effort doit se poursuivre, adapté aux réalités nouvelles de la coopération internationale.

Depuis la Conférence des ministres de l'Éducation nationale des pays francophones, tenue au Gabon en 1968, le Québec a progressivement organisé et structuré son intervention dans le domaine de la coopération, en assumant la direction de certains projets en Afrique francophone, en assistant financièrement certains organismes internationaux de développement et en apportant son soutien aux organismes québécois non gouvernementaux de coopération internationale. Voyons là l'amorce d'une action appelée à s'intensifier, puisque le gouvernement du Québec entend, au départ, consacrer à son programme d'aide des sommes qui, par rapport à son produit national, représenteront au moins l'équivalent de la contribution actuelle du Canada.

La volonté de progresser

Ses remarquables atouts, le Québec, en somme, pourra d'autant mieux en tirer parti qu'il disposera collectivement de moyens nouveaux, tels qu'il n'en a jamais possédé jusqu'ici. Or, c'est un postulat que, dans le cas d'une société désireuse de progresser, l'impulsion première doit venir d'abord et surtout de l'intérieur,— c'est-à-dire de cette société elle-même. La Suède, le Japon, la France ou l'Allemagne, dont les performances sont remarquables, ne doivent presque rien à l'extérieur; c'est aux ressources et au savoir-faire de leurs propres agents qu'elles en sont redevables. Le Québec n'échappera point à cette règle fondamentale: l'avenir de son potentiel repose avant tout sur un sens accru de leur responsabilité de la part des Québécois et des Québécoises, déterminés à compter d'abord sur leurs propres moyens.

Appel au peuple du Québec

Appel au peuple du Québec

Le moment est venu de conclure.

Depuis des générations, nous avons maintenu contre vents et marées cette identité qui nous rend différents en Amérique du Nord. Nous l'avons fait au lendemain de la défaite, puis à l'Assemblée du Bas-Canada; nous l'avons fait en dépit de l'écrasement de 1837 et sous l'Acte d'Union, qui visaient l'un et l'autre à nous réduire à l'insignifiance; et puis encore dans un régime fédéral qui, lui aussi, nous enfonce de plus en plus dans un statut de minorité.

Or, tout le long du chemin, les autres ne nous ont pris au sérieux qu'aux moments où nous avons su nous tenir debout et tenir notre bout. Que diraient-ils et penseraient-ils de nous, s'il fallait que nous reculions cette fois-ci? Depuis quarante ans au moins, c'est de nous surtout qu'est venue la crise du régime fédéral. Duplessis, Lesage, Johnson, Bertrand et Bourassa, que nous avions élus, n'ont fait que l'accentuer. Même lorsqu'ils ralentissaient le pas ou qu'ils faiblissaient, les pressions de la société québécoise les empêchaient de lâcher. Car le Québec continuait à évoluer et à se découvrir sans cesse plus capable de se prendre en main.

Mais s'il fallait qu'après tant d'années de pression croissante, notre montagne n'accouchât que d'une souris, aucune prétention nationale du Québec ne serait de longtemps prise au sérieux. Ce ne serait pas la fin du monde? Bien sûr. Juste l'arrêt brutal de la plus saine des montées, celle qui conduit un peuple, aussi naturellement qu'un individu, jusqu'à sa maturité. Nous n'aurions plus qu'à rentrer dans le rang et, pour un bon bout de temps, dans l'oubli qu'on nous accorderait charitablement partout ailleurs où l'on a suivi de près notre cheminement.

Fédéraliste à la fois déçu et inquiet, Robert Cliche nous conseillait d'y prendre garde, dans sa dernière opinion publiée sur le sujet: «À mon avis, écrivait-il, l'un des plus graves dangers maintenant serait un NON au référendum. Le Canada anglais croira alors la crise écartée et retournera à sa léthargie.»

D'aucuns inviteraient les Québécois, comme peuple, lors du prochain référendum, à perdre la face. Ils travaillent pour une défaite! Leur mot d'ordre consiste à nous recommander de faire, avant toute chose, avant toute négociation éventuelle avec le Canada anglais, une démonstration de faiblesse politique, un étalage d'indécision... Exactement comme le souhaitent ceux avec lesquels le Québec aura à négocier demain.

N'est-ce pas étrange? Souhaiter que nous-mêmes, Québécois, dans la partie serrée qui dure depuis deux siècles, soyons le moins possible en position de force démocratique! Préparer d'abord notre affaiblissement pour ensuite se rendre à la table de négociation!

Ils ont beau dire le contraire, ceux qui prêchent le NON au référendum nous ligoteraient littéralement dans le statu quo, nous enlevant toute chance prévisible d'en sortir ou même de l'améliorer substantiellement. Une chance que n'ont jamais eue vraiment ceux qui en parlaient dans le passé, même s'ils gardaient toujours en réserve—sans la mentionner—cette arme suprême qu'est le recours au peuple. Qui donc écouterait à l'avenir ceux qui auraient transformé ce recours en démission?

La pensée politique qui prétendrait s'imposer de ce côté-là, si bien noyée soit-elle dans le flou et l'ambiguïté, ne peut cependant éviter tout à fait de se trahir. Le fond de cette pensée, c'est que le Québec serait trop petit et trop faible pour rien entreprendre par lui-même. Et que, de toute façon, ce serait prématuré. Dans trois, cinq ou dix ans, peut-être serait-on à point pour se prononcer—alors qu'il y a quelques mois encore on houspillait le gouvernement, qui retardait le référendum jusqu'au printemps prochain!

● ● ●

Nous devons croire au contraire que nous avons la maturité, la taille et la force requises pour assumer notre destin. Parce que c'est cela qui est vrai.

La nation québécoise, c'est une famille qui aura bientôt quatre cents ans. Bien avant cet âge, dans les deux

Amériques, Anglo-Saxons, Espagnols et Portugais ont acquis leur souveraineté. L'histoire a freiné pendant longtemps notre propre émancipation. Mais elle n'a pas empêché pour autant la société québécoise de mûrir et d'accéder laborieusement à la capacité de progresser, de s'administrer et de se gouverner elle-même.

Au long des ans, nous avons accumulé peu à peu toute l'expérience essentielle. À commencer par l'expérience parlementaire que nous vivons depuis bientôt deux siècles, ce qui nous a rompus à cet exercice central de la démocratie avant bien d'autres peuples. Certes, notre Assemblée nationale n'est pas parfaite et elle fonctionne souvent au ralenti: comme tous les parlements démocratiques. Aussi compétente qu'aucune autre, notre administration risque cependant d'oublier parfois, dans la paperasse, qu'elle est au service du citoyen: comme toutes les administrations du monde. Nos tribunaux, eux aussi, ont les qualités et les défauts de leurs pareils. Bref, nous ne sommes ni plus ni moins prêts que quiconque à conduire nous-mêmes nos affaires politiques. Et s'il fallait là-dessus passer un examen, nous ne serions pas parmi les derniers, loin de là.

Cette maturité politique, l'ensemble des législations progressistes et souvent pilotes, et même la multiplication des livres verts ou blancs de nos gouvernements, sont là pour en témoigner sur tous les plans: éducation, santé, services sociaux, fiscalité, agriculture, communications, langue, culture, condition féminine, énergie, aménagement, recherche scientifique, économie, etc. Rien d'humain ne nous est plus étranger comme collectivité.

Quant à la la capacité québécoise de réussir dans tous les autres domaines, est-il même concevable qu'on puisse en douter? Par un héroïque effort de rattrapage, nous sommes passés en vingt ans d'un des plus bas à l'un des plus hauts taux de scolarisation du continent. Il reste bien des trous à combler, il en restera toujours, mais une telle performance est déjà sans égale. Comme l'est également celle des artistes et des écrivains qui, en une génération, nous ont dotés d'une modeste mais indéniable renaissance.

Ce qu'on remarque moins, cependant, c'est qu'un phénomène analogue s'est produit également et ne cesse de s'amplifier dans le secteur économique. Car, pendant ces mêmes vingt ans, l'Hydro-Québec est aussi devenue l'une des plus grandes et des meilleures entreprises d'énergie de l'univers. On nous avait pourtant raconté que c'était impossible. Comme on tâche encore aujourd'hui de nous faire accroire que, pour l'amiante, notre unique vocation serait de creuser des trous... Comme on a tout fait pour nous priver d'un régime d'assurance-automobile qui s'est placé d'emblée à l'avant-garde du continent.

On moquait naguère Desjardins et les pionniers du mouvement coopératif; cela ne les a pas empêchés d'atteindre la taille que nous savons. Comme on moquait plus récemment ces Caisses d'entraide dont l'audace aussi bien que la croissance sont désormais proverbiales. Ainsi, toujours, les éteignoirs s'efforceront-ils de boucher la vue à ceux qui ont le goût d'avancer. Et ainsi, par bonheur, continueront-ils à manquer leur coup.

Ceux qui refusaient de voir ce que les Beaucerons avaient dans le ventre. Ceux qui font les autruches devant le dynamisme du Saguenay-Lac Saint-Jean. Ceux qui trouvent l'Abitibi-Témiscamingue trop loin pour qu'on s'intéresse à l'explosion de vitalité qui balaie la région. Et qui ne regardent que par le petit bout de la lorgnette ce coeur trépidant qu'est la vieille et toute jeune vallée du Saint-Laurent.

Ceux qui vont encore racontant, par exemple, que le Québec est trop petit et que ses ressources ne lui permettraient pas de tenir le coup dans le concert des nations. Trop petite, cette contrée qui a la taille physique des plus grandes? Trop petit, ce peuple de six millions de gens dont les équivalents s'appellent Norvégiens, Suédois, Suisses, Danois, Néo-Zélandais? Dépourvu, ce réservoir incomparable de forêts, de minéraux, de richesses hydrauliques et même, à condition qu'on en prenne bien soin, de potentiel agro-alimentaire?

Que faut-il de plus à un peuple pour réussir sa carrière?

Très simplement, il lui faut le droit de mener cette carrière en toute liberté, à sa façon, débarrassé des entraves d'un régime politique dont tout le monde s'accorde à dire qu'il est désuet.

● ● ●

Nous, Québécois et Québécoises, sommes une nation, la plus profondément enracinée du continent. Sur l'immensité de notre territoire, partout nos souvenirs anciens comme notre présence vivante nous rappellent que ce peuple est ici chez lui, dans son foyer ancestral.

Eh bien, il est d'une importance vitale que ce foyer désormais lui appartienne complètement. L'heure est venue d'être maîtres chez nous. La dépendance minoritaire, qui n'a jamais été saine pour personne, pouvait s'admettre à la rigueur tant que nous n'avions ni les moyens ni même l'idée d'en sortir. Elle nous aura quand même coûté bien des retards. Elle nous aura laissés aussi avec un solide complexe d'infériorité— lequel constitue d'ailleurs le seul vrai motif de nos hésitations. Voici l'occasion de nous en débarrasser enfin. Nous n'avons pas le droit de la laisser passer.

Car notre poids diminue progressivement, et l'on peut maintenant se passer du Québec à Ottawa. Ce qui signifie que les entraves courantes à notre épanouissement ne pourraient qu'aller en s'aggravant.

- *Celles qui limitent les chances d'avancement à tel barreau de l'échelle, et nous ont fait chez nous, à nous la majorité québécoise, l'un des plus bas de tous les revenus moyens de la société.*

- *Celles qui nous obligent à des années de réclamations et de procédures pour aboutir enfin, pratiquement exténués, à des choses qui vont de soi dans tout pays normal: comme le droit de parler français entre nous, dans notre ciel.*

- *Celles qui gardent en dehors de chez nous le dernier mot sur des questions aussi centrales, existentielles même, que l'immigration, la justice, la politique familiale et sociale.*
- *Celles qui rendent si onéreuse la mise au point de toute politique québécoise d'importance: logement, pâtes et papiers, agriculture, pêcheries...*
- *Celles qui éternisent jusqu'à l'odieux, comme dans l'affaire de la taxe de vente, cette raison du plus fort qui permet en fin de compte de voler littéralement des dizaines de millions au Trésor québécois (et bien davantage encore, depuis combien d'années, pour les services policiers).*
- *Celles qui maintiennent mordicus hors de chez nous la régie de nos ondes, c'est-à-dire du plus puissant instrument de diffusion de notre temps.*
- *Celles qui nous forcent à quêter la permission dès qu'il s'agit de nous manifester à l'étranger, quitte à la voir parfois refusée arbitrairement et, dans les autres cas, soumise à une tutelle méfiante.*

Tout cela accompagné de doubles emplois, de chevauchements de programmes et de mesures en porte-à-faux qui coûtent terriblement cher en gaspillage d'énergie et en perte d'efficacité autant, sinon plus, qu'en argent.

Sans compter que jamais, depuis le début, le Québec n'a échappé au sort classique des minorités: ce sort qui, d'une époque à l'autre, nous aura privés de notre juste part des chemins de fer, puis de l'activité maritime, et maintenant des liaisons aériennes. La seule période pendant laquelle Ottawa nous a soutiré un peu moins qu'il n'a fourni en retour—les quelques brèves années depuis la crise pétrolière de 1974—touche déjà à sa fin. Bientôt, quelle qu'en soit l'origine, nous paierons le pétrole au même prix que tous les autres. Et le fédéral continuerait, comme toujours, à orienter vers l'ouest de l'Outaouais le gros des dépenses génératrices de progrès économique, selon un ordre de priorité contraire au nôtre.

● ● ●

La nouvelle entente que nous proposons, c'est d'abord la fin de toutes ces entraves. La fin de ces rôles étriqués pour tant de personnes et pour tout notre peuple. La fin des manipulations et de l'exploitation importées. La fin de l'insécurité minoritaire. La fin des permissions qu'on doit quémander pour agir ou même pour communiquer.

Comme 150 autres peuples du monde, nous pourrons, nous aussi, être en pleine possession de notre patrie. Une patrie dont la reconnaissance éventuelle n'appauvrira personne, puisque c'est nous qui l'avons défrichée, apprivoisée, développée, et que c'est encore nous qui l'habitons. Une patrie où nous pourrons vivre en majoritaires, avec l'incomparable sentiment de sécurité, de normalité, qui en découle.

Nous y ferons nos lois, selon nos lumières, en fonction de nos besoins et de nos aspirations, sans avoir à nous inquiéter constamment des contraintes ni des interventions extérieures. Nous y dépenserons chez nous et pour nous les impôts et tous les autres revenus qui sont perçus pour la collectivité, et nous pourrons les faire servir à notre croissance.

Nous y accueillerons en toute liberté ceux et celles qui, de partout dans le monde, accepteront de venir ici pour édifier avec nous, conformément à nos plans et à notre façon de voir et de dire les choses, une société sans cesse plus productive, plus juste et plus humaine. Une société plus ouverte et plus tolérante que jamais, assurée qu'elle sera de sa plénitude et de sa pérennité.

Dans cette société, il n'y aura plus de blocages imposés du dehors. Nous pourrons déployer à leur limite les dons, les énergies, le sens de l'invention et le goût de l'ouvrage bien fait dont nous sommes aussi richement pourvus que quiconque.

D'ailleurs, nos progrès les plus marquants jusqu'à présent, ne se sont-ils pas produits dans des secteurs où nous étions laissés à nous-mêmes, sans avoir de consentement à demander? Alors que les secteurs où nous traînons encore de l'arrière, à fort peu d'exceptions près, sont ceux où le système fédéral est venu inhiber ou compliquer notre démarche. La souveraineté, ce sera la libération de l'initiative québécoise, sur tous les chantiers du présent et de l'avenir.

Et par-dessus tout, ce sera la responsabilité, ce synonyme suprême de liberté. Voilà ce qui fait peur à ceux qui reculent devant l'idée d'avoir un pays bien à eux. C'est comme s'ils avaient peur d'être en santé! Car la responsabilité, il n'est rien de tel pour donner aux peuples comme aux hommes un supplément de vigueur et de fierté, pour les grandir à leurs propres yeux comme à ceux d'autrui.

● ● ●

Cette souveraineté, nous la plaçons dans le cadre d'une nouvelle association avec le Canada, nous insérant ainsi dans l'évolution de plus en plus universelle du monde moderne. Un monde tout grouillant de membres à part entière du club des États souverains, mais où les frontières tendent constamment à s'abaisser, et à se combler peu à peu les fossés les plus profonds qu'avait creusés l'histoire. Il ne s'agit pas d'une utopie, mais de cette interdépendance que tous les peuples doivent désormais admettre et aménager entre eux.

À la seule condition que ce soit entre peuples fondamentalement égaux, quelle que soit par ailleurs la taille ou la puissance de chacun. Dans le Bénélux, premier modèle contemporain d'association, c'est d'égal à égal que se traitent les questions essentielles entre le minuscule Luxembourg, avec moins d'un demi-million d'habitants, et la Belgique ou les Pays-Bas, qui sont vingt-cinq ou trente fois plus populeux. Et si l'on n'avait pas maintenu ce principe central de l'égalité entre les peuples, l'expérience du Bénélux n'aurait jamais conduit à la vaste Communauté économique où se retrouvent aujourd'hui neuf pays tout aussi disparates. Et le Conseil nordique des pays scandinaves n'aurait jamais vu le jour.

C'est d'égal à égal, donc, que nous voulons proposer à nos partenaires du reste du Canada une nouvelle en-

tente. Une entente basée sur cette formule de libre association entre États souverains, qui tend à remplacer de plus en plus le vieux moule fédéral où jamais les groupes nationaux minoritaires n'ont pu connaître la vraie sécurité ni le plein épanouissement.

Cette association nous permettra de garder ensemble tout ce qui nous est mutuellement avantageux. Un espace économique dont la dislocation serait aussi coûteuse pour les uns que pour les autres. Des marchés en commun et une politique monétaire conjointe. La libre circulation des personnes et des biens. Et toute une gamme additionnelle, qu'on pourra élargir progressivement, d'entreprises et de services que rien n'interdit de partager: les postes? les chemins de fer? les liaisons aériennes internationales? la réciprocité pour les minorités? Tout ce qui n'affecte pas la liberté fondamentale, pour chacun, de faire ses propres lois, de disposer à sa guise de ses ressources, de demeurer le seul maître dans sa maison.

Ainsi le Québec souverain, au lieu d'être une barrière, constituera-t-il plutôt une charnière entre l'Ontario et les Maritimes, permettant au régime fédéral de continuer et, lui aussi, d'évoluer librement dans le reste du Canada.

● ● ●

Évidemment, tout cela ne se réalisera pas du jour au lendemain. Il va falloir négocier. Encore. Cette fois, cependant, ce ne seront plus les palabres stériles où nos revendications se sont sans cesse brisé les dents sur le mur d'un système qui, depuis 112 ans, s'est refusé à toute évolution majeure et se refuse encore à la moindre réforme d'importance.

Il y aura enfin, sur la table, ce déclencheur essentiel du déblocage: une volonté collective, claire et catégorique.

L'heure va bientôt sonner pour le peuple québécois d'exprimer cette volonté démocratique et, par là même, de donner à son gouvernement le mandat d'ouvrir l'étape décisive, entre toutes, de notre histoire.

Le choix devrait être facile, en effet, aussi bien pour le coeur que pour la raison. Il suffira de penser un peu à la longue fidélité du passé et à toute la vigueur du présent, et puis de songer aussi à ceux et celles qui nous suivront et dont l'avenir dépend si grandement de ce moment-là.

Et alors, nous choisirons d'emblée, à ce grand carrefour du référendum, la seule voie qui puisse dégager l'horizon et nous assurer une existence nationale, libre, fière et adulte. La voie que nous ouvrira, Québécois et Québécoises d'aujourd'hui et de demain, ce petit mot sonore et positif: Oui.

Le gouvernement du Québec

René Lévesque

Premier ministre

Oui Québec!